Ⓢ新潮新書

美術展の
不都合な真実

861

新潮社

はじめに――異例ずくめの「フェルメール展」

２０１８年10月に上野の森美術館で始まった「フェルメール展」は異例ずくめだった。まず世界に35点しかないと言われる17世紀の画家、フェルメールの作品が東京・上野に9点も揃ったのだ。《牛乳を注ぐ女》《手紙を書く女》、そして日本初公開となる《紳士とワインを飲む女》《赤い帽子の娘》《取り持ち女》――。

展示替えのために同じ時期には8点しか見られないが、２度行けば9点を自分の目で見られる。これまでは２００８年に東京都美術館（上野）で開かれた「フェルメール展～光の天才画家とデルフトの巨匠たち～」での7点が最多だったから、それを上回ることになる。

そのうえ10月から翌年2月までと通常より1、２か月長い開催期間のあと、大阪に巡回したのも異例というべきだろう。大阪市立美術館では2月から5月まで展示され、これらの規模からすると同展のキャッチコピー「それは、このうえもなく優雅な事件。」も、あながち誇張ではない。

また入場料が前売り券2500円、当日券2700円と高額なのも話題になった。現在の国公立美術館・博物館で開かれる大型の企画展が前売り券1500円、当日券1700円（2019年10月以降）だから、1・6倍ほどの金額だ。

それよりも驚いたのは、前売り券も当日券もすべて日時指定制だということ。海外では混雑が予想される企画展では1990年代から日時指定のチケットが売られていたし、今ではルーヴル美術館のような大美術館の多くは所蔵作品展でも日時指定チケットを販売している。日本でもこれまでに試みはあったものの、全面的な導入は初めてだった。

なぜこんな異例ずくめの展覧会が開かれたのか。これは今後どんな影響を与えるのか。そもそもこうした展覧会はどのようにして作られるのか。どのくらい時間がかかるのか。さらに、展覧会というものは儲かるのかどうか。そして、日本に無数にある美術館や博物館とは本来どんな存在であるべきなのか。

そんな展覧会をめぐる素朴な疑問からこの本を書き始めてみたい。

筆者は現在、日本大学芸術学部で映画史を専門として教えている。だからなぜこのような本を書くのか不思議に思われる方も多いかもしれない。実は大学教員になる前は、美術展を企画する側で20年ほど働いており、映画関係はむしろ副業だった。外務省所管の特殊法人、国際交流基金（現在は独立行政法人）で日本美術を海外に紹介する仕事をした後に、朝日新聞社の文化事業部で主に外国の美術館から作品を借りて美術展を企画する仕事をしていた。1年半ほどだが、朝日新聞文化部で美術記者をしていたこともある。だから展覧会については表も裏もわかっているつもりだ。

ところがそんな展覧会の表裏については、誰も語ろうとしない。もちろん大学で教えている美術史の教員は学芸員出身でなければ知らないだろうが、国公立の美術館や博物館に勤めている学芸員や研究員ならばみんなわかっているはずだ。あるいは私のように大手マスコミの事業部にいたら、誰でも知っている。ところが、誰も触れない。理由は簡単で、そこには美術館にとってもメディアにとっても知られたくない「不都合な真実」があるからだ。

私はこの本でその「真実」をわかりやすく説明したいと思う。断っておくが、別にそれを「暴露」して美術館や博物館や展覧会関係者を貶めたいわけではない。そうではなく、美術が好きで展覧会によく行く普通のファン（今では私もそうだ）がその仕組みを知り、宣伝などに惑わされることなくより純粋に好きな美術を楽しんでもらうために、この本を書こうと思っている。

正直に言うと、日本の美術館や博物館、あるいは展覧会の世界は国際的に見たらかなり歪んでおり、美術界にいる者なら作家も学芸員も美術記者もそれはみんなわかっている。しかしそれはマスコミによっては全く知らされず、観客は大量のPR作戦に動かされて展覧会を見に行っている。私はこの本によって少しでもその歪みを知る観客が増えて、日本の美術界がより良い方向に進めばいいと考えている。あるいは美術館や博物館で働く人々が、この本に力づけられて、本来の美術館・博物館とは何か、展覧会とは何かを考え直してくれたらとも思う。

展覧会の仕事をしていた頃、いつも美術館や博物館の学芸員や百貨店の催事担当者と会って話していた。地方に行くことも多かった。また、会場で観客と直接話すこともあった。よくあちこちから苦情や文句も言われた。

国際交流基金や新聞社の事業部で展覧会を担当する者は、自らは美術の専門家ではないし、自分の組織が会場を持つわけでもない。あくまで助っ人や調整役の立場で、作品の所蔵者や所蔵館、監修者、開催美術館・博物館の学芸員、百貨店の担当者、あるいは輸送梱包会社、保険会社、展示施工会社、展覧会カタログ制作会社、グラフィックデザイナー、印刷会社、協賛企業などの間に立って、いつも右往左往していた。この本は、そうした紆余曲折の経験を十分に取り入れながら書いていこうと思う。

個人的には、40代後半から大学で映画を教え始めて11年がたった。その間は展覧会について文章を書くことはたまにあったが、企画や運営からは完全に離れた。あくまで観客として毎週必ずどこかの展覧会場に足を運んでいる。そこからは本業だった頃とは違う展覧会の姿が見えている。この10年余りの観客としての経験も取り込めたらと思う。

〈本書で述べる東京都心の主な美術館・博物館〉

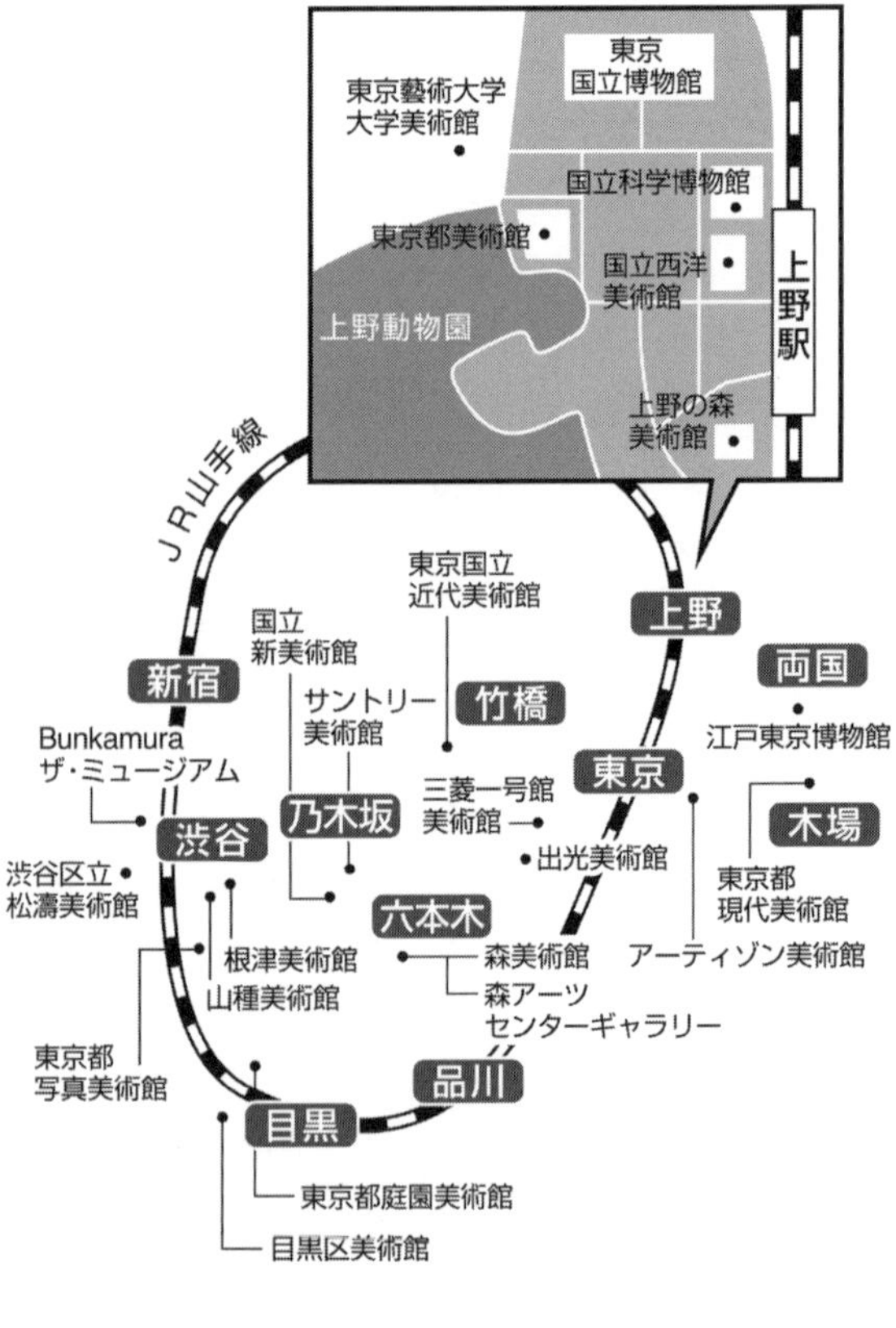

美術展の不都合な真実◆目次

第1章　混雑ぶりは「世界レベル」の日本式展覧会

展覧会トップ10リスト

話題の展覧会は混む、ということが定着したのは平成の時代ではないだろうか。個人的に思い出しても、少数の例外をのぞいて１９８０年代までは展覧会が混雑するというイメージはなかった。ところが最近の展覧会では、入場するのに長蛇の列ということがざらになってきた。会期中の総入場者数が50万人を超すことも多い。フェルメールや若冲など、何時間も並ぶことが予想されている展覧会もある。そもそも、展覧会の数が増えてきている。

２０１９年秋に限っても「日本・オーストリア友好１５０周年記念　ハプスブルク展　６００年にわたる帝国コレクションの歴史」（国立西洋美術館）、「バスキア展　メイド・イン・ジャパン」（森アーツセンターギャラリー）、「ゴッホ展」（上野の森美術館）、

「コートールド美術館展　魅惑の印象派」（東京都美術館）、「カルティエ、時の結晶」（国立新美術館）と有名画家の大きな個展や海外美術館のコレクション展が目白押しだった。

ここに挙げたような展覧会は、入場者数がだいたい20万人から50万人超にもなる。こんなに話題性があり混む展覧会が多いのはたぶん日本だけだろう。

「アート・ニュースペーパー」というロンドンで発行されている美術の月刊誌のネット版を見ると、おもしろい数字が出てくる。２０１９年３月24日付の記事には、18年の世界の展覧会の１日当たり入場者数のランキングが掲載されており、日本の展覧会が複数トップ10入りしているのだ（末尾の括弧内は総入場者数）。

1位　Heavenly Bodies: Fashion and the Catholic Imagination〈天国的身体展〉　メトロポリタン美術館（ニューヨーク）１万９１９人（１６５万９６４７人）

2位　Michelangelo: Divine Draftsman and Designer〈ミケランジェロ展〉　メトロポリタン美術館（ニューヨーク）７８９３人（70万２５１６人）

3位　Do Ho Suh: Almost Home〈ス・ドホ展〉　スミソニアン博物館（ワシントン）

７８５３人（１１２万３０００人）＝入場無料

４位　Landscapes of the Mind: Masterpieces from Tate Britain 1700 - 1980〈テート美術館展〉　上海博物館（上海）７１２６人（61万７９２６人）＝入場無料

５位　Bronze Vessels from the Donation of Late Mr. & Mrs. Chu Chong Yee〈青銅器展〉　上海博物館（上海）６９３３人（５万４４７３人）＝入場無料

６位　〈生誕１１０年　東山魁夷展〉国立新美術館（東京）６８１９人（24万６２３人）

７位　Crossroad: Belief and Art of Kushan Dynasty〈クシャーナ朝展〉　上海博物館（上海）６７４１人（46万３２１０人）＝入場無料

８位　The Wanderers: Masterpieces from the State Tretyakov Gallery〈トレチャコフ美術館展〉　上海博物館（上海）６６６６人（45万８０３５人）＝入場無料

９位　〈縄文—１万年の美の鼓動〉東京国立博物館（東京）６６４８人（35万４２５９人）

10位　Ancient Wall Paintings from Shanxi Museum〈山西博物院壁画展〉　上海博物館（上海）６５５２人（53万４４５５人）＝入場無料

日本の2つの展覧会は6位と9位に入っており、ランキングのうち入場無料のものを省けば3位、4位となる。ちなみにこの前年は、入場無料を入れても第1位が「興福寺中金堂再建特別展『運慶』」（東京国立博物館）で1日あたり1万1268人（計60万439人）、3位が「国立新美術館開館10周年　チェコ文化年事業　ミュシャ展」（国立新美術館）で8505人（計65万7350人）、5位が「草間彌生　わが永遠の魂」（国立新美術館）の6714人（計51万8893人）と10位までに3本もランクインしていた。

入場者の多い美術館・博物館

これを読むと、日本は世界で有数の美術都市のように見えるだろうが、ここには大きな盲点がある。同じ記事を読むと、次に「どの美術館・博物館に多くの観客が来たか」のリストがあるのだ（数字は年間入場者数、千人以下四捨五入）。

1位　ルーヴル美術館（パリ）　1020万人
2位　故宮博物院（北京）　861万人

3位　メトロポリタン美術館　695万人
4位　バチカン博物館（バチカン）　676万人
5位　テート・モダン（ロンドン）　587万人
6位　大英博物館（ロンドン）、7位　ナショナル・ギャラリー（ロンドン）、8位　ナショナル・ギャラリー（ワシントン）、9位　エルミタージュ美術館（サンクト・ペテルブルグ）、10位　ヴィクトリア&アルバート博物館（ロンドン）
……

ここに日本の美術館・博物館の名はない。同記事にはこれ以降の順位が掲載されていないのだが、前年のデータだと日本はようやく17位に国立新美術館（六本木）が299万人で登場する。

21世紀に入ってからの2つのランキングの顔ぶれは、だいたい同じと言える。展覧会の1日あたりの入場者数では日本は毎年2、3本入るが、美術館全体ではおおむね国立新美術館が20位前後にランクインするのみだ。これは何を意味するのか。

まず日本の展覧会は世界的に見ても混んでおり、特に1日当たりの入場者数が多い。

逆に言うと、日本の観客は落ち着いて絵や彫刻を見られる環境にない、ということだ。

長年展覧会を運営した経験から言うと、日本の展覧会で1日3千人を超すと「混んでいる」という感じがする。5千人を超すと入場に数十分かかり「かなり見るのが大変」で、1万人となると入場に1時間超待ちで「押すな押すな」となる。

ところが日本の美術館・博物館の入場者数は、世界に比べると驚くほど少ない。この違いはどこから来るのか考えてみたい。

「企画展」と「常設展」の違い

まず日本がトップ10に何本も入る展覧会は「企画展」と呼ばれるものだ。これに対して美術館や博物館自体の入場者数のトップ10に出てくるのは、ルーヴルや大英博物館など世界の大美術館がほとんど（北京の故宮博物院は最近になっての登場）。これらの美術館でも「企画展」はあるが、外国人観光客を含む入場者の多くは「常設展」を見に来る。

常設展とはその美術館が所蔵するコレクションを見せるもので、海外の大美術館は真面目に見たらそれだけで丸一日はかかってしまう。ルーヴル美術館の展示面積は6・1

ルーヴル美術館内《モナ・リザ》の部屋。ここだけは混雑する

万平米、大英博物館は５・７万平米あって、千〜２千平米程度の企画展示室はそのごく一部。

だからルーヴルに行くと日本並みに混んでいるのは《モナ・リザ》の部屋くらいで、あとはフェルメールが２点ある部屋でさえもかなりゆっくり見ることができる。ルーヴルには最近１年間に約１千万人が来ているが、１日約３万人（休日除く計算）なので美術館全体の広さを考えたら十分に収容可能だ。

日本で海外のそうした大美術館に匹敵するのは、上野の東京国立博物館か佐倉の国立歴史民俗博物館（共に約２万平米）くらいだろう。

ただ東京国立博物館でも、観客が多いのは

正面から見て左手奥にある企画展用の「平成館」で、正面の「本館」や右手の「東洋館」や左手の「法隆寺宝物館」などは、いつ行ってもガラガラだ。常設展に雪舟や等伯などの著名な国宝作品が展示されていても話題にならない。

東京国立博物館ほどではなくても、竹橋の東京国立近代美術館や木場の東京都現代美術館にも企画展会場と同じくらいの広さの常設展会場があるが、ここも観客は少ない。ほかの公立美術館では、世田谷美術館や練馬区立美術館のようにかろうじて小さな常設展会場があるところもあれば、美術館として日本で最も動員数のある国立新美術館（六本木）のように、そもそも常設展会場がない美術館も多い。

いずれにせよ、日本の美術館の大半は総展示面積が千平米あれば大きい方なので、新聞社主催の展覧会をやれば混雑するのは当たり前なのだ。

この状況は、日本の美術館や展覧会の特殊性を象徴的に表している。美術館や博物館はその所蔵作品を見るものではなく、国内外から作品を集めた企画展、つまり一過性のイベントを見る場所として一般に認識されているということだ。

この「日本的状況」にはもちろん歴史的経緯がある。それについては後述することとして、ここからは一般の人々が見たい日本画や泰西名画の展覧会は、ほとんどすべて新

東京国立博物館。奥の大きな建物が左から平成館、本館、東洋館。手前の建物が左から法隆寺宝物館、資料館、表慶館、そして正門から続く広場が観客を迎える

本館正面口。他館に比べてここを訪れる人は少ない

聞社などのマスコミ主催であることを取り上げたい。

なぜ新聞社が展覧会をやるのか

戦後の美術展で伝説的に有名なのは、172万人を集めた1964年の「ミロのビーナス特別公開」(国立西洋美術館、京都市美術館)と295万人の「ツタンカーメン展」(1965年、東京国立博物館、京都市美術館、福岡県文化会館)や151万人の「モナ・リザ展」(1974年、東京国立博物館)あたりだろうか。

注目すべきは「ミロのビーナス特別公開」も「ツタンカーメン展」も朝日新聞社主催で、「モナ・リザ展」は「協力」に朝日新聞社とNHKが入っているという事実である。

なぜ美術展に新聞社が絡むのか。その理由としては、当時から新聞社は海外に支局を持ち国際的なネットワークを持っていたこと、外貨持ち出しが自由であったことなどが挙げられている。

新聞社やテレビ局が展覧会を企画するのは、日本独自の方式である。海外で新聞社が展覧会の企画をしていると言うと、まず驚かれる。ルーヴルやオルセー美術館(パリ)など日本に何度も貸し出したことのある美術館は日本式を熟知しているからいいが、フランスの地方の美術館で新聞社の社員が作品を借りたいと言えばまずわかってもらえない。それはメセナ、つまり文化事業の資金的援助かと聞かれる。
「いや違います、新聞社が貴館から作品を借りて展覧会を企画、展示してくれる日本の美術館を探します」というと怪訝な顔をされる。そして「新聞社が展覧会を企画したら、まともな美術記事は書けないでしょう」と来る。「新聞社が宣伝をして、作品を売り飛ばすのでは」と心配されたことさえある。

日本では読売、朝日、毎日、日経、産経の全国紙のみならず、東京・中日新聞、西日本新聞、北海道新聞、中国新聞、河北新報などのブロック紙や県紙に至るまで「文化事業部」があり、当たり前のように展覧会を「主催」したり「後援」したりしている。

新聞社の展覧会を含む文化催事の歴史は長い。一説には、新聞社の最初の催事は朝日新聞が1879年に大阪に生まれて、翌年に企画した中之島の花火大会だと言われている。

別に展覧会に限らず、例えば「春の甲子園」は日本高等学校野球連盟と共に毎日新聞社が、「夏の甲子園」は朝日新聞社が「主催」に名を連ねている。「箱根駅伝」は関東学生陸上競技連盟と読売新聞社だ。従来から企画部や文化事業部と呼ばれるセクションでは、展覧会を中心としてスポーツなどあらゆる催事を扱っている。

また日本では長い間、美術館自体の数が少なかったために百貨店の展覧会が中心となってきたこと、美術館が増えた後も新聞社が企画の中心になったことで、日本の展覧会は長く「イベント」としての性格が強かったことを強調しておきたい。

新聞社ならではの大宣伝

19世紀後半に日本で新聞が生まれて、150年近くたった今も、新聞各紙は展覧会を続けている。かつては「利益還元」「社会活動」「文化貢献」と言ってきたが、バブル崩壊以降は各紙で広告収入が激減し、読者も減り続けていることから、本業を補填する「収益事業」として位置づけられている。

当然ながら、「自社もの」と呼ばれる自社主催のイベントでは、広告、記事、販売促進用印刷物など、あらゆる手段を使って宣伝する。

先述した「フェルメール展」の会期前日、主催の産経新聞は一面をフェルメール《牛乳を注ぐ女》の作品写真と「あす開幕」の展覧会告知のみにした。ここまでやるかと言いたくなる宣伝ぶりだが、同社記者たちはどう思ったことだろうか。

ここまででなくとも、新聞の学芸部や文化部の美術担当記者は、「自社もの」の展覧会のために何度も記事を書かざるを得ない。さすがに展覧会を仕立てている事業部の部員が自分で記事を書くのは憚られるからだ（事業部員が書く「本社事業の紹介」ページは別途ある）。

本日は特別紙面でお届けします。通常紙面は2枚目からになります。
産経新聞
10 4（木）

「フェルメール展」あす開幕

オランダ黄金時代の輝き

牛乳を注ぐ女

手紙を書く女性、室内で語らう男女など、穏やかな光に包まれた日常を詩的に描いた17世紀オランダの画家、ヨハネス・
ェルメール（1632～75）。寡作で知られ、現存作はわずか35点前後とされるが、このうち国内展最多の9点を欧米の主要美
館から集めた「フェルメール展」（産経新聞社など主催）がいよいよ5日、東京都台東区の上野の森美術館で開幕する。
中でも「ワイングラス」「赤い帽子の娘」「取り持ち女」の3点は日本初公開。フェルメールと同時代を生きた巨匠たち―ハ
エル・メツーやピーテル・デ・ホーホ、ヤン・ステーンらの珠玉の絵画も並ぶ。「黄金時代」と呼ばれる17世紀のオランダ絵画
0点を通じて、多様な広がりと深化を味わう、またとない機会となる。

オランダ絵画 黄金時代の巨匠 ヨハネス・フェルメール

筆者も驚愕した産経新聞の一面記事

一番多いのが「特集」と呼ばれる一頁の記事で、美術記者はそのために展覧会の経費で海外取材をし、長めの文章を書かされる。大きな写真数枚がつくその頁は、通常の読者には広告と見分けがつかない。普段は海外取材の予算は少ないから、美術記者はいい機会とばかりに喜んで行く。ルー

ヴルなどの有名美術館の館長にインタビューができ、そこの一流の担当学芸員の解説付きでじっくりと作品を見る絶好のチャンスだから。

さらに展覧会が始まると「開幕した」と社会面に記事が載り、10万人超えるごとに社会面で報告される。例えば朝日新聞を取っていたら、「コートールド美術館展　魅惑の印象派」（２０１９〜20年）の記事がたぶん総計で20回や30回は載る。そのうえ、読者対策で招待券を配ったり、休館日に抽選で読者招待日を設けたりする。

日本の新聞は海外に比べると圧倒的に部数が多い。米国のニューヨーク・タイムズ紙は50万部、フランスのル・モンド紙は30万部前後だが、日本は一番多い読売の８５０万部強、次の朝日の６００万部弱を始めとして、毎日２８０万部、日経２５０万部、産経は１５０万部。海外の著名な新聞は内容もハイレベルの「高級紙」＝クオリティ・ペーパーと呼ばれるが、何百万部の日本の新聞はそうはいかない。

いずれにしてもこれだけの部数があれば、一紙だけで宣伝しても何度もやれば相当の物量になる。普通はまともな「美術批評」や美術展の紹介記事を書いているベテラン美術記者も、遮二無二これに参加させられる。

５億円を超す総経費

平成になって美術展に参加し始めた民放テレビ局はもともとそうだが、新聞社も今では個々の展覧会が細り行く本業以外で収益を上げるために、人件費も含めて黒字になることを目指している。そうなると、これまで以上に宣伝に力を入れる。

日本の美術展で１日の入場者が平均６千人を超す人数になって世界トップレベルの「押すな押すな」になるのは、それだけ宣伝をして「押し込む」からだ。それにしても、なぜそこまでやるのか。

企画展の出品作品をすべて海外から借りてきたら、輸送、保険、借用料、展示費用、宣伝、会場運営など総経費は５億円を超すことが多い。単純計算してみよう。

３か月で休館日を除く開催日が80日だと、前売りと当日券と割引や招待を合わせた平均単価１５００円計算で１日５千人来たらようやく６億円になる。総来場者は40万人。そんな「大成功」でも、人件費を生み出すためには、これにカタログやグッズの収入を足す必要がある。さらに収益も出さなくてはならない。収益が出れば主催者で出資比率に応じて分配となる。

「文化事業」とは名ばかりで、新聞やテレビの大手マスコミが自社メディア宣伝を駆使して、世界的にもトップ10にはいるほどの混雑の中で作品を見せられているのが、日本の展覧会の悲しい現状だ。有名作品の前で「立ち止まらずに歩きながら見てください」と叫ぶ係員の声を聞きながら見る展覧会のどこが「文化」だろうか。

まともに落ち着いて作品を見ることができない状況を作り出しているのが今の新聞・テレビ主催の「話題の展覧会」であり、それは世界的に見ても珍しい状況なのだ。

先述の「フェルメール展」は日時指定だったが、実際に行ってみたところ1時間に千人は押し込んでいた。これは入口で長時間待つことがないだけで、場内は大混雑だ。ゆっくり見られるはずの日時指定のメリットはあまりない。

史上最多数のフェルメール作品を見られる機会ではあったが、あれだけ高額のチケットに見合う価値は、本当にあっただろうか。「押すな押すな」のなか8点か9点を一瞬ずつ見たと喜ぶのはどこか馬鹿げていないか。

第２章　なぜ「○○美術館展」が多いのか

チケットに記された重要情報

数億円の経費を掛けて作品を集め、美術館・博物館を３か月間空けてもらい――。展覧会は一体どうやって開催するのか。本章では筆者の経験も思い起こしつつ、「展覧会の作り方」をお話ししたい。最初のポイントになるのが先に触れた「主催」だ。

美術展のポスターやチラシを見ると、メインビジュアルに選ばれた中心的作品の画像がまず目に入るだろう。続いてキャッチコピー（先述「フェルメール展」では「それは、このうえもなく優雅な事件。」だった）、会場や開催日時などが続く。

それらよりもずっと小さな字で、下の方に書かれた部分がある。「主催」に続いて「後援」「特別協賛」「協賛」「特別協力」「協力」「企画」「企画協力」と並ぶ企業名だ。ここを眺めると、新聞社の事業部や学芸員など「美術展業界」の人間ならだいたい展覧会の構造までわかる。
たとえば2019年秋の主な大型展は次のようになっている。
「コートールド美術館展　魅惑の印象派」主催＝東京都歴史文化財団、東京都美術館、朝日新聞社、NHK、NHKプロモーション　後援＝ブリティッシュ・カウンシル　協賛＝凸版印刷、三井物産、鹿島建設、ダイキン工業、大和ハウス工業、東レ
「ゴッホ展」主催＝産経新聞社、BS日テレ、WOWOW、ソニー・ミュージックエンタテインメント、上野の森美術館　後援＝オランダ王国大使館　協賛＝第一生命グループ、大和証券グループ、髙松建設、NISSHA、アトレ、関電工、JR東日本
「カルティエ、時の結晶」主催＝国立新美術館、日本経済新聞社　特別協力＝カルティエ　後援＝在日フランス大使館、アンスティチュ・フランセ日本　協賛＝大成建設、山元
「日本・オーストリア友好150周年記念　ハプスブルク展　600年にわたる帝国コレクションの歴史」主催＝国立西洋美術館、ウィーン美術史美術館、TBS、朝日新聞社　共催＝日本経済新聞社　後援＝オーストリア大使館、オーストリア文化フォーラム、

BS‐TBS　特別協賛＝大和ハウス工業　協賛＝三井物産、大日本印刷、みずほ銀行、ビックカメラ
「バスキア展　メイド・イン・ジャパン」主催＝フジテレビジョン、森アーツセンター特別協賛＝ZOZO　協賛＝損保ジャパン日本興亜　後援＝アメリカ大使館、ニューヨーク市観光局、WOWOW、J‐WAVE

これらの言葉は、業界独特なので少し注意を要する。ちょうど映画のクレジットで「エグゼクティブ・プロデューサー」や「製作総指揮」が一般には実際に何をする人かわからないように（実は何もしない場合が多い）、展覧会の「主催」もよくわからない。「主催」とは、平たく直すと「主として催す者」。つまり、催事を中心になって企画する者を指す。具体的にはお金や人材を出し、収益を分配する。私の知る限り、日本では主に展覧会や舞台公演で使う場合が多い。展覧会でも、例えば山種美術館（渋谷区）や出光美術館（千代田区）のように、個人のコレクションをもとにした小さめの美術館では普通は使われない。あるいは国公立の美術館の展覧会でも、所蔵品を見せる「常設展」では使っていない。美術館がその所蔵品を見せるのだから、「主催」はその美術館

以外に考えられないからだ。「主催」とはマスコミが関わる「企画展」に特有のものと言える。

当然だが、海外の美術館には「主催」に当たる表記はない。その美術館以外の団体が「主催者」として展覧会の中心になることは考えられないからだ。「主催者」を英語ではorganizerと表記するが、日本で海外から作品を借りる時に、この表記を説明するのにいつも苦労した記憶がある。

「企画展」は、会場となる美術館・博物館の所蔵作品を加えることもあるが、主としてほかの1つあるいは複数の美術館から借りてきて企画する。ここに多くの場合、新聞社やテレビ局などのマスコミが入ってくるわけだ。特に話題の展覧会はだいたい新聞社とテレビ局がタッグを組んでいることを気に留めておいて頂きたい。

驚くべき美術館軽視

先述した「フェルメール展」の場合は、次のようになっていた。

主催＝産経新聞社、フジテレビジョン、博報堂ＤＹメディアパートナーズ、上野の森

美術館

種別としては新聞社、テレビ局、広告会社、美術館となる。この展覧会は異例ずくめだが、この4社の並びにもそれを感じた。正直に言って、「展覧会もここまで来たか」と思った。

普通はまず美術館名を一番に置く。開催館となる美術館には敬意を表す。次に新聞社やテレビ局などの大手マスコミで、以上終わり。ところがこの展覧会では美術館が一番最後だ。こんな美術館軽視はこれまで見たことがない。

上野の森美術館は「貸しホール」ではなく学芸員もいるはずだが、この美術館自体を保有しているのがフジサンケイグループなので、こういうことが起こるのかもしれない。通常は美術館がお金を出していてもいなくても、展示内容にタッチしていてもいなくても、最初に出すのが業界の常識だ。

ついでに言うと同じ主催に並んでいても、先に会社名を書いてある方が主導権を握っている。場合によっては2番目のマスコミは出資金額の割合が小さいこともあるし、出資なしで名前だけ貸す場合もある。いずれにしても中心となって進める幹事社は一社である。
「フェルメール展」は、博報堂ＤＹメディアパートナーズが「主催」に加わっているのも珍しい。例えば「ムンク展―共鳴する魂の叫び」では同社は「制作協力」だった。広告会社は影の存在で、主にスポンサーやタイアップを探す際に力を発揮してくれる。それはあくまで新聞の広告紙面やテレビのＣＭという媒体の力があって成り立つことだった。

平成になって、電通、博報堂、ＡＤＫなどの大手広告会社が展覧会にお金を出すようになった。これは平成に始まった映画の製作委員会への参加と同じく、出資をして回収するというものだ。

広告会社には出資・回収以上のメリットがある。通常なら広告は複数の広告会社に発注されるところ、出資すればその展覧会の広告の扱いを自社だけで独占できる。さらにお金を出してくれる協賛企業が見つかれば、新聞やテレビなどを通じて新たなビジネスチャンスも生まれる。ちなみに、映画はもともとビジネスが基本にあるから、お金を出す企業は広告会社でも芸能事務所でも製作委員会で名前を出すことができる。

しかし美術はやはり違う。広告会社の名前は少なくとも「主催」には出さない、というのが長年の常識だった。やはり「文化事業」としての展覧会には、広告会社の名前はふさわしくなかった。しかし最近では２０１８年秋から翌年にかけて東急文化村のザ・ミュージアムで開催された「Ｂｕｎｋａｍｕｒａ30周年記念　国立トレチャコフ美術館所蔵　ロマンティック・ロシア」展でも主催にＢｕｎｋａｍｕｒａ、日本経済新聞社、電通とあったので、だんだん広告会社も表に出ているのかもしれない。

映画でもそうだが、広告会社が出資すると、宣伝には大きな力を発揮する。彼らにとっても「自社もの」になれば、新聞、雑誌、テレビ、ネットなどの「自社枠」で空きが出ると無料に近い金額で広告を出すことがある。だから電通や博報堂が出資すると、主催の新聞やテレビ以外でもあちこちで広告に触れる機会が増える。かくして日本の展覧会は「押すな押すな」となる。ほかの点でも私は「フェルメール展」は平成後の展覧会の新しいモデルとなると思うが、それについては後で書く。

なお「主催」には、「名義主催」と呼ばれるものもある。これは新聞社などが展覧会の企画や内容には関わらないが、「主催」に名を連ね、新聞での「社告」と呼ぶ告知を受け持つことである。特に地方の美術館の企画展だと、新聞社の名前があるだけでプラスになり、おまけに告知まで出たら集客もできる。この場合は、新聞社によっては「名義料」としてお金を受け取ることもある。

いずれにしても、「主催」として名を連ねると、あらゆる責任がかかってくる。美術館は主催に加わるから観客からの問い合わせには対応するが、観客の内容への疑問などは直接新聞社へ電話や手紙やメールが来るものだ。

かつて新聞社勤務時代に、展示された一点の絵に差別を表す内容があることで苦情を受けたこともあった。だから「主催」というのは仮に名前だけであっても、そう簡単には受けられない。「主催」の中身は色々だが、観客に対しても展示物に対してもあらゆる責任を負うことだけは間違いない。

ちなみに「後援」は名前を貸すだけで何もしない。「協賛」はお金は出すが、収益は配分されない。その代わりにチラシでのロゴ掲載や社員特別内覧会など具体的なメリットを受ける。

準備は開催3〜5年前から

では実際に、展覧会はどのように企画を始めるのか。最も多いのが、新聞社がアイデアを持って美術館に行き、一緒に組み立てるケースだろう。新聞社の事業部には長年展覧会に携わるスタッフがいて、企画力の蓄積があり内外の美術館との人脈も強い。テレビ局の場合は海外の美術館やコーディネーターによってできあがった企画を美術館に持ってゆく場合が多い。美術館からの提案を受けて、一緒に作っていく場合もある。この「共同作業」にはごく自然な理由がある。

マスコミは自社では会場を持っていないので、やる場所を見つけないと社内で企画は通らない。美術館サイドも完全に出来上がった企画よりも、自分たちが内容に関与したものの方がやる気が出る。新聞社が主催に加われば入場者数が増えるのは目に見えているので、そちらでも館内で企画が通しやすくなる。

通常、話題になるような大きな展覧会は３〜５年くらい前から準備する。その理由は東京国立博物館、国立西洋美術館、国立新美術館、東京都美術館、京都市美術館など、話題の美術展をマスコミと共催で開く館はだいたい２年先までは企画が決まっているからだ。

だからマスコミの事業部員が美術館に展覧会の企画を提案するのは、だいたい３年先の企画ということになる。ここに挙げたような美術館には多くの企画が持ち込まれるので、定期的に企画会議があり、どれを採用するかを決めてゆく。

このなかで国立の美術館・博物館と、ほかの公立や私立の館ではだいぶ格が違う。美術館・博物館については次章で述べるが、全国に国立美術館は6館、国立博物館は6館、これに国立科学博物館を加えても計13館しかなく、それらは「敷居」が高いのだ。

国立館と同じように大型展覧会が行われる東京都美術館（上野）や京都市美術館にも学芸員はいるが、基本的には内外の専門家（展覧会監修者）とマスコミの事業部が作る企画の中身がよければそのまま引き受けてくれる。

ところが国立の美術館はそこに勤務する専門の研究員が中身を作ることが原則である。国立館では学芸員を研究員と呼ぶ。今は国立館の独立行政法人化に伴い公務員ではないが、実際はそれに準ずる研究職員である。だからメディアが企画したものを「そのまま受け入れる」ことはない。交渉しながらの内容作りは1〜2年に及ぶことになる。

「貸し出し作品リスト」

例えば、ルーヴル美術館展を国立西洋美術館でやるとする。18世紀のフランス絵画をルーヴルが日本に貸し出すと決まると、ルーヴルでは館内の担当学芸員が決まる。日本と違って欧米では学芸員の地位は高い。展覧会の入口やカタログの表紙に「コミッショナー」や「キュレーター」としてその名前が書かれることも多い。国立館の研究員はここまで目立つことはないが、実際にはこれに準ずる力を持つと言えるだろう。

もちろんルーヴル・クラスの美術館だと、日本で受け入れる美術館にもこだわる。国立西洋美術館であれば、これまでの海外の有名館との仕事の実績があるので一番問題がない。この企画をマスコミが同美術館に提案して企画会議で認められると、担当の研究員が決まる。既にマスコミが交渉をしてきたルーヴル側からは最初の貸し出しリストが出ているが、国立西洋美術館の担当研究員はそのリストを丹念に研究し、別の作品が欲しいと言ったり、内外のほかの美術館の作品を加えようと提案したりする。

マスコミの事業部員はその研究員をルーヴルに連れてゆき、両方の専門家が満足するまで話し合ってもらう。あるいはルーヴルの学芸員に日本に来てもらって日本の研究員を交えて協議すると同時に、会場にふさわしい作品を検討し、展示プランを考える。

マスコミの事業部員としては、学術的なレベルの高さよりも、やはり目玉となる作品がいくつ来るのかを一番に考えざるを得ない。メインビジュアルにして話題になるような作品が来るかどうかが、動員の大きな違いになるからだ。「この作品が日本で見られる」と話題になって観客が押し寄せないことには、どんなに学問的に意義があっても赤

「フェルメール展」が開催された上野の森美術館の壁面

字になってしまう。三者が1、2年かけてたっぷり話し合って最終的な展示リストができあがるのが、展覧会の1年前くらいだろうか。

展示リストが確定したあたりから、マスコミの事業部は担当者の数を増やす。両方の学芸員をつなぐ作品担当以外に、輸送・保険、展示、広報、カタログ制作、グッズ、協賛、タイアップなどの担当が必要で、大型展だと5、6名の担当者が付く。

3か月前には記者会見をやり、場合によっては現地取材ツアーを組む。一方でポスターやチラシを作って全国の美術館に配布したり、交通広告やタイアップを手配したり、公式ホームページを立ち上げたりといった広報活動を展開する。

個展と「○○美術館展」はこう違う

藤田嗣治、ムンク、ルーベンス、ボナールなどの巨匠の個展が並んだ2018年は、珍しく個展が多かった年といえよう。個展とはある画家による作品群を揃えて見せるもの。この個展と正反対となる作りの展覧会が「○○美術館展」だ。

ルーヴル美術館展、プラド美術館展、コートールド美術館展など、言ってみればこれらは海外の大美術館のコレクションが「引っ越し」してきたようなもので、これを「○○美術館展」や所蔵作品展と本書で記す。

この方式は平成になって、テレビ局が展覧会に参入するようになってから益々増えた。日本にいながらにしてルーヴルなどの所蔵作品をまとめて見られるのはすばらしいことだが、なぜこんなに多いのだろうか。

これは簡単に言うと、企画するのが容易だから。まず新聞社やテレビ局の事業部員が世界各国の大美術館に通い、特に大規模修理の時期をつかむ。館内の大改装のためコレクションが「お蔵入り」になったり、閉館になったりする時期に合わせて、そこから50～80点を借りるのだ。

La reconstitution de l'atelier Brancusi
a été réalisée grâce au soutien de Asahi Shimbun

「ブランクーシ・アトリエは朝日新聞の支援によって修復されました」と刻印されている

このタイミングはその美術館の目玉と言われる作品が出品されるチャンスでもある。そして新聞社やテレビ局はだいたい1本の展覧会につき1億円から3億円くらいまでの借用料を払う。受け取った海外の美術館はそのお金を大規模修理の費用に充てるわけだ。

作品借用料という名目ではなく、「メセナ（企業によるアートの支援事業）」の形を取る場合も多い。例えば、パリのポンピドゥー国立芸術文化センターの手前にある「ブランクーシ・アトリエ」は、1997年に東京都現代美術館で開催された「ポンピドー・コレクション展」の開催のために朝日新聞社が約3億円を寄付したお金で修復された。その入口には、「朝日新聞の支援によって修復されました」という銘板がある。

パリのギメ東洋美術館には経団連の寄付を書いた銘板があり、ルーヴル美術館には《モナ・リザ》の展示室など数か所に日本テレビの寄付が書かれている。

いずれにしても新聞社やテレビ局は億単位の大金を払い、「〇〇美術館展」を日本で開催する権利を得る。もちろん「ルーヴル美術館展」や「大英博物館展」は日本で何度も開催されているので、そのたびごとにテーマを選ぶ。

例えば「肖像画」「風景画」「子供」「ヌード」などのテーマを毎回ひねり出しては、展示する。それでも1か所に大金を払えば、そこの美術館からの作品だけでできるので、企画の手間としては楽ではある。海外の美術館と日本のマスコミが大きなテーマを話して合意に達すれば、その館は具体的に貸し出す作品を選ぶ学芸員を指名する。

「個展」はこれほど難しい

対して「個展」では作品をどう集めるか。例えばセザンヌ展を開催するとしよう。

正直に言って、日本でこれを一からやるのはかなり難しい。日本で所蔵されているセザンヌの数は少なく、海外の何十か所の美術館との交渉が必要だが、日本にはそれをできる学芸員もマスコミの事業部員もまずいないからだ。

これがパリのオルセー美術館が「セザンヌ展」をやるとなったら、話が違ってくる。19世紀の印象派の画家の作品を所蔵するこの美術館には、多くのセザンヌ作品があり、世界各地の有名美術館とのつながりも強い。たちまち各館から作品が集まって開催となるはずだ。

だから日本でのセザンヌ展は、このオルセー美術館の企画を早めに知ってそのまま日本への巡回をしてもらうか、あるいは外国人の著名な監修者にお金を払って作品を集めてもらうかだろう。どちらにしてもお金で解決するしかない。

そして実際に開催となっても大変だ。各地の美術館からの出品は作品輸送費も嵩むし、貸し出す美術館ごとに作品輸送に同行する担当者「クーリエ」のビジネスクラスでの招待が必要になる。ロシアや中南米ではよくあることだが、美術館によっては一点につきかなり高い借用料を取るところもある。

かつて同僚が「ケルト美術展」を東京都美術館で企画したことがあった。チェコ人の著名なケルト美術専門家を立てて、20近くの美術館から作品を借りる手間はとんでもなく大きかった。開催1年半前には、その専門家と欧州各地の美術館を回って交渉をしていた。それから各美術館の要望を聞きながら運送会社や保険会社を手配する。開催直前のクーリエの航空券の手配だけでも大変だし、作品と同時に彼らが到着するとその対応に追われていたことを思い出す。

テレビ局が気にするポイント

平成になって、民放テレビ局が美術展の主催に入ることが増えたことは先に述べた。一番活発に動いているのは、ルーヴル美術館から3、4年に一度作品を借りて「ルーヴル展」を企画している日本テレビだろう。フジテレビは「ニューヨーク近代美術館展」を定期的に開催しているし、ＴＢＳテレビはウィーン美術史美術館と２０２２年まで10年間のパートナー契約を結んでおり、２０１９年秋には国立西洋美術館で「ハプスブルク展」が開催されている。

テレビ局は時間のかかる出品交渉を嫌う傾向にある。新聞社は体質的に日本の学芸員とじっくり話し合って多くの内外の美術館から作品を借りる手間をいとわない。新聞社の事業部には大学で美術史を勉強した者も多く、なかには元美術館学芸員もいるからだ。だが、テレビ局はそのような学術的な準備は苦手で、内容はすべて学芸員に任せる傾向にある。そこで「手っ取り早い」方法が、海外の有名美術館に億単位のお金を渡して

「○○美術館展」を開くことなのだ。テレビ局は目玉となる作品が中に含まれるかだけを気にすればいい。

テレビ広告の長期的な減少に悩む民放は、「放送外収入」として通販や映画製作、イベント、配信など、テレビ番組のスポンサー収入以外の収益を求め始めた。展覧会はあくまでその「イベント」の一部なので、一応は展覧会の社会的・文化的意義を考える新聞社と違って、テレビ局はすべての展覧会で収益を得ることが基本にある。その点でも有名美術館展は手間もかからないうえに、まず美術館の名前が有名だから当たる可能性が高い。そのうえ、特別番組を作れば宣伝になるうえ、番組スポンサーも得やすい。

新聞社とテレビ局が組むと双方にメリットがある。従来型のインテリ・中高年中心の新聞の読者層に比べて、テレビはもっと若く大衆的な層に訴えかけることができるから、この二者が組めば客層を相互補完できる。

民放テレビ局が展覧会の企画をしていなかった時は、新聞社はまずNHKと組むことを狙った。人気番組「日曜美術館」などでの紹介の可能性が増えるし、事業部員のまじめさも体質的にも近かったからだ。

ところがNHKは2001年以降、番組改変問題などで受信料不払い運動が起こったのをきっかけに「事業局」を廃止して、「視聴者総局」の下の「事業センター」にして、それまでの金儲け的な要素の強かった展覧会路線を縮小した。

その分、新聞社は民放局と組み始めたが、通常は系列局と組むのが常識だ。つまり朝日新聞社はテレビ朝日、読売新聞社は日本テレビ、毎日新聞社はＴＢＳテレビ、日本経済新聞社はテレビ東京、産経新聞社はフジテレビだが、最近はこれ以外の組み合わせも増えた。

２０１９年春に国立新美術館で開催の「トルコ文化年２０１９　トルコ至宝展　チューリップの宮殿　トプカプの美」は日本経済新聞社とＴＢＳテレビが主催であり、19年秋の「ハプスブルク展」はＴＢＳテレビと朝日新聞社が主催である。

前述したように同じ「主催」でも、先に会社名を書いてある方が主導権を握っている。だから「ハプスブルク展」はＴＢＳテレビが中心である。読売新聞社は系列の日本テレビとよく組むが、同じような「〇〇美術館展」でも内容に工夫がある展覧会は読売新聞社、日本テレビの順に並んでいることがわかる。

たいした作品は来ない

海外の有名美術館の「引っ越し」のような「○○美術館展」。頼みもしないのに資金のあるマスコミが借りてきてくれるから、観客はわざわざ海外に行くこともなく、わずか1700円で世界の名品を見ることができる。税金が使われているわけでもないし、いいじゃないかと思われるかもしれない。だが実はそこには、いくつかの問題がある。

まず第一に、たいした作品は来ない。レベルの高い作品は2、3点のみの場合が多い。海外の有名美術館には、例えばルーヴルの《モナ・リザ》のようにそれを目当てに多くの観光客が押し寄せる。だから本当の目玉作品は動かすわけにはいかない。

名の知れた画家のあまり有名でない作品を遮二無二目玉にし、テーマを設定してそれ以外のよく知られていない同時期や同テーマの画家や彫刻家の作品を50点から80点ほど集めて「展覧会」にしているというわけだ。

大英博物館で言うと800万点が所蔵されており、大半は展示されずに倉庫にある。だから100点に満たない作品は何百回でも貸し出せる。

マスコミ、特にテレビは収益を上げるために特別番組を組み、テレビスポットを打つ。一緒に組んだ新聞社でも一頁特集を数回組む。それらを見ていると、どうしても行きたい気分になってくる。ところが行ってみると長蛇の列。

だいたい１日に３０００人入ると大きめの美術館でも「混んでいる」感じがすると書いたが、当たる展覧会の最終日近くの土日は1万人を押し込む。そうなると入場するのに1、2時間かかることはザラ。先述したように、これでは人の頭を見に行くようなもので、とても落ち着いて作品を見ることはできない。新聞社は「文化催事」というが、およそ非文化的な光景がそこにはある。

開催館への弊害

「○○美術館展」を受け入れる美術館・博物館の側にも影響は大きい。本来ならば、企画展はその館の学芸員が専門とする分野での研究の成果をもとに、美術史の新たな知見を見せるために開くものだ。

展覧会のコンセプト作りに始まって、数年かけて館内で検討を重ね、外部の専門家と協力して中身を練り、内外の美術館に借用を交渉する。そしてカタログを作り、展覧会にふさわしい展示方法や広報を考える。

ところがマスコミの持ち込みの「○○美術館展」は、基本的に貸し出す海外の有名美術館の担当学芸員がマスコミの事業部員と話し合いながら内容を決める。「格」の高い国立館はそれでも内容に口出しするが、普通は美術館に提案される時にはもう大方の内容が決まっている場合が多い。

美術館はそうした持ち込みを断ればいいのだが、国立館も公立館もある程度の年間入場者数がないと、行政の側から非難を受ける。マスコミの持ち込む展覧会は、かなりの入場者数が保証されるので、できたら年に一回は受けたいのが本音だ。それに学芸員が一から作る展覧会は地味なものが多いだけでなく、予算が予定を超す可能性やチラシやカタログが大幅に遅れることもある。

その点、マスコミに任せておけば、予算や日程の管理を覚書通り責任を持ってやってくれる。県や市の美術館長は行政からの天下りが多いが、彼らにとっては気難しい学芸員よりも、マスコミの事業部員の方が扱いやすい。数は少ないが学芸員出身の館長でさえも、行政からの圧力を考えてマスコミの展覧会を受け入れざるを得ない。

通常、マスコミから提案された大型展の場合、カタログも事業部員が編集する。学芸員はそこに文章を書いたり、外国人の論文を翻訳したりすることもあるが、カタログには全くタッチしない場合も少なくない。チラシ、ポスターの制作も大型展の場合は手慣れたマスコミの事業部員が主導する場合が多いので、学芸員には展示図面作りくらいしか残っていない。これとても海外の学芸員が展示プランを作っている場合も多い。これでは学芸員は育たない。

一番かわいそうなのは誰か

ではコレクションを貸し出す海外の美術館はどうか。これといったデメリットは見当たらないばかりか、日本のマスコミのお金でさらに豊かになり、展示室を改装したり新たに作品を買ったりする。

ただ日本と仕事をした経験のある海外の学芸員と話してみると、彼らも本当はマスコミ経由ではなく、日本の美術館との直接の仕事を望んでいる。しかし海外の有名美術館には今ではメセナ担当部があり、学芸員はその指示で動かざるを得ない。

実は本来、美術館同士の美術品の貸し借りはお金はかからないものなのだ。ところが日本に関してはマスコミが介在することで借用料が発生、あくまで「金づる」としか認識されなくなってしまった。「○○美術館展」によって海外の美術館は丸儲けし、日本の美術館の学芸員はやる気を失い、むしろやせ細る。

何より、そのようにしてお手軽に作られた展覧会を派手なキャンペーンに乗せられて見に行く観客が最もかわいそうだ。展覧会は、本来は観客が展示作品との一対一の会話を楽しむものだ。

とりわけいくつもの作品を同時に見ることで、美術への新たな見方が広がる。そして解説パネルやカタログを読んで、新たな知識を得る。そんな知的で静かな楽しみが、いつの間にか、流行りのイベントのようになってしまった。これではいつまでたっても観客の美術を見る目は育たない。

有名美術館の所蔵作品展がこれほど開かれる国は日本しかないだろう（最近は韓国や中国も多いらしいが）。一見それは日本の国際性や国際都市東京の文化レベルの高さを示しているようで、実は世界の美術界での日本の地位を確実に下げている。世界の美術界で日本は単なる「金づる」「展示会場」としてしか存在せず、本来の国際的な美術館のネットワークにまず入れてもらえない。

国内的には「〇〇美術館展」は、もともと日本の美術館に歴史的にあった展覧会のイベント的側面をさらに強める。観客はマスコミに踊らされて、有名美術館の名前がついただけで出品物の大半は通常は倉庫に眠る作品を見に行っているのだ。

日本美術が海外に出る時

では、日本美術が海外に出る時はどうか。その場合には日本の美術館・博物館が少しは借用料が取れるかと考えるのが普通だが、それはまずない。ないどころか、日本の側が国際間の輸送料さえ負担している場合が多い。

例えば2018年から19年初頭にかけてフランスで「ジャポニスム2018：響きあう魂」という企画が日仏両政府の提唱で開かれた。これは「日本におけるフランス年」など日本で開かれたフランス文化の特集と対をなすもので、1年間にわたって歌舞伎、演劇、美術、建築、デザイン、映画、文学などさまざまな芸術分野で日本文化を紹介した。

そのHPなどを見るとわかるのは、主要企画は必ずと言っていいほど主催に「国際交流基金」の名前があることだ。国際交流基金は1972年に「外務省所管特殊法人」としてできた機関（現在は独立行政法人）で、海外に日本の芸術・文化を普及させることを主な目的としている。美術展に関して簡単に言うと、日本美術の展覧会を海外で開くとお金を出してくれるところだ。

「はじめに」に書いた通り、筆者はそこに職員として5年半勤務し、当時展覧会を担当していた展示課に2年いた。海外の有名美術館で日本の展覧会があると、輸送、保険などの費用を負担する。先方が持つのは現地での展示費や広報費やカタログ制作費（これは収入にもなる）くらいだった。最近は先方が輸送費は負担するケースもあるようだが。

私が勤務していた1990年前後はバブル期ということもあって、「ユーロパリア・ジャパン」（1989年、ベルギー）、「ジャパン・フェスティバル」（91年、英国）などが華やかに開催されていた。この2つのイベントで新入職員の私がやっていたのは、国内集荷作業だった。海外の美術館・博物館が日本の美術館や芸術家に直接連絡しても、なかなか対応してくれないことが多い。そこで日本の国際交流基金が間に入って、日本側の借り主となる。往復の国際輸送費を持つだけでなく、美術輸送専用のトラックに乗って、作品の集荷までやっていた。

鎌倉時代の運慶や快慶の彫刻を展示した「鎌倉彫刻展」（1991年）は大英博物館で開催され、同博物館の担当学芸員と日本側の文化庁の専門家がキュレーターとなって作品を選び、国際交流基金が輸送費などを負担すると同時に雑務を引き受けていた。この時は日本通運の美術輸送・梱包の専門家数名まで同基金の費用で現地に派遣していた。

このように日本の国宝が海外に出るのに、借用料などもらった話は聞いたことがない。通常は借りる側が持つのが当然の輸送費などまで国際交流基金が負担している事実はほとんど知られないままだ。

もちろん日本文化は世界的にはマイナーなので、西洋美術のように世界中が欲しがるわけではない。日本の展覧会を開いても大量の動員は難しいだろう。だから日本美術の展覧会を開きたい意志がある美術館や機関に対しては最大限の援助をすべきだというのは、基本的には正しい。

土下座外交を続けるのか

国際交流基金は国の機関であり、日本のイメージを高める役割が期待されている。HPには「日本の友人をふやし、世界との絆をはぐくむ」と謳っており、海外で日本の展覧会を開いたり、日本映画を見せたり、歌舞伎や現代演劇の公演をしてもらって、日本文化について知ってもらうことは、いわば「ソフトパワー」を高めることにつながる。これは欧米の政府でも昔からやっていることだ。

ただこと展覧会に関して言えば、日本は新聞社を始めとしてマスコミが展覧会を手がける伝統ができあがり、欧米の美術品をお金を出して持ってくるようになった。そのうえ、美術展は１９８０年代から世界的にもビジネスとして儲かるものとなった。しかし国際交流基金はまるで土下座外交のように、お金を出して日本美術展をやってもらっている。

20世紀末から、アニメの流行をきっかけとして、日本文化は少しずつメジャーなものになっている。美術作家の草間彌生や村上隆、建築家の安藤忠雄など、現存作家でも欧米の大きな美術館で個展が開かれるようになった。

２０１９年5月から8月まで大英博物館で開催された「マンガ展」の盛況ぶりをご存知の方もいるだろう。手塚治虫から、赤塚不二夫、萩尾望都、鳥山明、こうの史代など約50人の日本作家による原画などが一挙に集められたのだ。

同時に、若冲のように欧米で人気の江戸美術もある。こんな時代に欧米相手に国際交流基金がお金を出すことは、ある意味では美術館同士の自由な交流と貸し借りを妨げている部分もあるのではないか。少なくとも対先進国に関しては「借りる者が必要な費用を負担する」という原則が必要だと筆者は考える。

先に述べた「ジャポニスム２０１８：響きあう魂」を伝える朝日新聞記事（２０１９

年3月14日夕刊・東京本社版）にはこう書かれていた。

「公式企画だけで100を超え、日本側の予算は約40億円にのぼった。現地で延べ約300万人を集めたと、盛況が伝えられている」

書いた記者はこの問題に気づいていないようだが、あいも変わらず日本は先進国に日本文化を紹介するのに大金を使い続けている。そしてそのことを関係者はおかしいとさえ思っていない。

2021年には「ジャポニスム2018」へのお返しとして「日本におけるフランスの季節　2021」の開催が決まった。これまた日本側がマスコミを中心に巨額の金額をフランスにつぎ込んで展覧会を開くのかと考えると、気が重くなる。

1998年の「日本におけるフランス年」や2001年の「日本におけるイタリア年」の筆者の経験から言うと、イタリアは自国の文化の日本での紹介にある程度予算を組むが、フランスは特に美術展に関してはお金を使うどころか、むしろ借料などを取ってお金を蓄える。2021年もまたそうならねばいいがと思うが、難しいだろう。

マスコミが「○○美術館展」を開いて、海外の有名美術館・博物館に資金をつぎ込む。そしてそれらの館が日本美術展を開こうとすると、国際交流基金がお金を出してくれる。

日本は両方の意味で世界の美術館にとって永遠に「金づる」でしかない。何とおめでたい話だろうか。

　マスコミと政府の両方が日本の美術館・博物館を世界から遠ざけている。

第３章

入場料１７００円の予算構造

13の国立美術館・博物館

展覧会の会場で、ごったがえすミュージアムショップで、ふとこんなことを思ったことはないだろうか。

「こんなに大混雑しているなら、大儲けだろうなあ」

あるいは観客が数人だけの閑散とした場内で「貴重な展示だけれど、ビジネスとしてこれで大丈夫か」と心配になった経験のある方もいるかもしれない。

たぶんこの本で一番問題となるであろう、驚愕の「不都合な真実」を本章で書きたい。国立の美術館や博物館がマスコミと組んで展覧会をする時のお金の話である。

その前に、現存する国立館13館について概観してみよう。

数ある美術館や博物館の〝頂点〟に立つのが、日本で最も古い歴史を持つ東京国立博物館である（1872年創設）。もともとウィーン万国博覧会に出品されるものを集めた施設で文部省博物館と呼ばれた。それから帝国博物館、東京帝室博物館と名が変わり、戦後に東京国立博物館となる。

帝国博物館は京都市と奈良市にも作られて、現在も京都国立博物館、奈良国立博物館として存在する。

ほかには2005年、福岡県太宰府市に九州国立博物館が作られた。現在ではこの4館に東京文化財研究所、奈良文化財研究所、2011年に大阪府にできたアジア太平洋無形文化遺産研究センターの7機関が、独立行政法人国立文化財機構を構成している。

上野公園には東京国立博物館のほか、国立科学博物館、国立西洋美術館がある。国立科学博物館は文部省博物館から分かれてできたもので、港区白金台の附属自然教育園やつくば市の筑波実験植物園などを抱え、総敷地面積は35万平米の「日本一大きい博物館」でもある。国立西洋美術館は、1959年にフランスに敵国財産として没収された旧松方コレクションを収蔵する美術館として作られた。旧松方コレクションは、実業家の松方幸次郎が所蔵していた美術品のうち、第二次世界大戦中にフランスに保管されていたものを指す。

国立西洋美術館。JR上野駅から上野公園に入って右手に

西洋美術館の奥に位置する国立科学博物館

ほか竹橋の東京国立近代美術館、京都国立近代美術館、大阪の万博会場跡から中之島に移転した国立国際美術館、２００７年に六本木にできた国立新美術館、２０１８年に東京国立近代美術館内の組織フィルムセンターから昇格した国立映画アーカイブがある。また大阪府の国立民族学博物館、千葉県の国立歴史民俗博物館がある。

このような国立の美術館群においての「異変」は、２００７年に国立新美術館ができたことだった。場所は六本木の東大生産技術研究所跡で、国立西洋美術館のある上野より若者には馴染みやすい。日展などの団体展に貸し出すかマスコミとの共催展をするために建てられたものなので、所蔵作品を持っていない。ゆえに国立館ながら研究員の数も少ない。

これはマスコミから見るとどうか。伝統のある国立西洋美術館に比べると「垣根」が低い感じで、企画が持ち込みやすいのだ。持ち込みをそのまま受けてくれることが多く、感覚としては国立西洋美術館よりは東京都美術館に近い感じだろうか。結果として海外の一館から丸ごと借りてくる展覧会は国立新美術館か東京都美術館に持って行く場合が多い。そして年間入場者数は、国立西洋美術館よりも国立新美術館が上回ることになった。

東京国立近代美術館。皇居のお堀端にあり、最寄は竹橋駅

国立新美術館。湾曲したガラスの壁面が映える

２００１年からは、国立西洋美術館に東京国立近代美術館、京都国立近代美術館、国立国際美術館が同じ組織（独立行政法人国立美術館）となり、国立新美術館もそれに加わった。だから収益は５館全体（２０１８年からは国立映画アーカイブを含む６館）で考えるようになり、国立新美術館が稼げば、各館がそれぞれに収入を気にする必要がなくなったようだ。

「渋い」展覧会

その結果として、マスコミが大量動員を狙う展覧会はまず国立新美術館に行き、次に国立西洋美術館に行く流れができつつある。東京国立近代美術館は東京駅から歩けないこともないが、最寄り駅は地下鉄東西線竹橋駅のみ。周囲には皇居以外に寄れる場所や飲食のできる店などが少ないため大量動員は難しく、結果として研究員がじっくり考えた「渋い」展覧会が増えることになった。

例えば２０１８年秋に国立新美術館で開かれた「生誕１１０年　東山魁夷展」は、従来ならばまず東京国立近代美術館で開催されていただろう。ただこの年の「アジアにめざめたら：アートが変わる、世界が変わる　１９６０―１９９０年代」展、前年の「日本の家　１９４５年以降の建築と暮らし」展などは国立近代美術館ならではの十分な調査を踏まえた展覧会で、いずれも海外にも巡回している。また集客が期待できない外国の現代美術作家の展覧会も２０１８年の「ゴードン・マッタ＝クラーク展」など増えた。

これらの「渋い」展覧会には、マスコミは主催などには加わっていない。ある意味で〝新美〟ができたことで、東京国立近代美術館の展覧会は本来のモダン・アートの殿堂としての役割を取り戻し、格段におもしろくなったと言えるだろう。

国立新美術館は開館直後の２００７年の国立新美術館開館記念「大回顧展モネ　印象派の巨匠、その遺産」展が70万人を超し、マスコミの大量動員のための美術館として定着した。しかしこの美術館では、２０１９年初めの「イケムラレイコ　土と星　Our Planet」展のように、自主企画で相当に渋い現代美術展も毎年開催しているのが面白い一面と言えるだろう。

国立館の「不都合な真実」

こうした国立館がマスコミ主催の企画展を開催する場合、基本的に国立館が予算を出す必要はまったくない。これが展覧会の「不都合な真実」だ。海外の美術館や日本の寺社を含む国内所蔵者に対して払う作品の借用料は、すべてマスコミを中心とする主催者が負担するのだ。会場となる国立館はその金額さえ知らないことが多い。

借用料ばかりではない。必要経費のうち借用料の次に高額になる輸送費や保険料（これは２０１１年に国家補償制度ができたので国が負担するケースもある）をはじめ、展示造作費もチラシ・ポスターなどの広報費もカタログ制作費ももぎりや監視員やチケット販売員の経費もオープニングの費用も、国立館は一切払わない。

研究員が展覧会の準備で海外出張する際の出張費も、海外から学芸員が来日する費用もすべてマスコミが負担する。まさか美術館や博物館の中にいるもぎりや監視員の費用を館が負担していないなんて、関係者以外の誰が想像できるだろうか。

１９８０年代までは、展覧会期間中の企画展示室の電気代、水道代、トイレットペーパー代まで新聞社が負担していた。研究員がカタログの原稿を書く際は都内のホテル（通常は山の上ホテル）に宿泊するのが通例で、ルームサービスを含む宿泊費も新聞社が払っていた。90年代に至っても、展覧会の準備期間中に研究員が遅くまで仕事をする際の夜食代や来日した海外の学芸員との会食代は事業部員が同席していなくても、請求が来た。私は90年代半ばに、ある国立館の庶務課長に呼び出されて、彼がまとめた研究員諸氏の飲み食いの領収書を受け取って、新聞社から仮払いした現金を渡して精算した記憶がある。

さすがに今はトイレットペーパー代も電気代も水道代も夜食代も請求しない。しかし展覧会のための費用がすべてマスコミ負担なのに変わりはないようだ。それでは展覧会の収入はすべてマスコミに行くかというと、そうではない。しっかり国立館も報酬を受け取る。ではどのような計算で、収入は分配されているのだろうか。

「常設展もご覧いただけます」

国立新美術館を除くと、各国立館にはかなり大きな「常設展」会場がある。企画展のチケットを払うと、自動的に常設展も見ることができる仕組みになっていることはご存知だろう。チケットにもそう明記してある。

だから国立館は、マスコミの共催者に対して入場客１人につき当日券１７００円のうち、常設展の金額（国立西洋美術館や東京国立近代美術館等は５００円、東京国立博物館等６２０円）を請求する。当日入場者について言えば、１人あたり１０００円前後がマスコミなど共催者の収入となる。実際には、企画展のチケットを買った観客が常設展を見るケースはあまりないようだが。

１９８０年代前半は当日券が８００円や９００円で、後半に１０００円になる。90年代になると１１００円から１３００円になり、２０００年代半ばから10年ほど１５００円というのが定着した。

ちなみに映画の鑑賞料金は、80年代前半に既に１５００円だった。90年代半ばから１８００円になり、そして２０１９年春に一部の映画の当日料金が１００円上がって１９００円になったのをご記憶の方もいるだろう。

２０１９年10月の消費税の値上げ以降に開催した国立館の企画展も、１００円値上げして１７００円になった。今後は当然常設展の料金も少し上がると見ていたところ、２０２０年４月から東京国立博物館は６２０円から１０００円へ、京都国立博物館と奈良国立博物館は５２０円から７００円へと値上げされた。国立館が値上げすれば、東京都美術館などはそれに倣っていく。もっとも入場者の少ない地方の公立館は今も１０００円や８００円などでやっているが。

値上げ前の入場料でも、50万人の入場者があれば、国立館は支出なしで展覧会を開催でき、３億１千万円の収入になる。もちろん電気代などの通常維持経費は別だし、何より国立館の研究員や事務職員の給与も内容的な貢献も別だが。

またこの方式でいうと、常設展のない国立新美術館は「収入なし」のはずだが、実際には会場借料の形でお金を取る。ただ入場者数が少ない場合は、〝新美〟の取り分の割合を減らし、入場者数が増えてマスコミが黒字になると、割合が増える。こういう優しい仕組みも新美がマスコミの事業部に気に入られる理由である。

この方式は自分が経験した10年前までのやり方だ。関係者に話を聞くとマスコミの取り分は常設展料と同じでないことも出てきたが、基本は変わっていないようだ。

第1章で、このように書いたのを覚えておられるだろうか。

作品をすべて海外から借りてきたら、輸送、保険、借用料、展示費用、宣伝、会場運営など総経費は5億円を超すことが多い。単純計算してみよう。

3か月で休館日を除く開催日が80日だと、前売りと当日券と割引や招待を合わせた平均単価1500円計算で1日5千人来たら計40万人でようやく6億円になる。

じつはこの計算は甘いということになる。主催者の取り分が観客1人あたり880円なのだから、5億の総経費をまかなうためには57万人もの来場が必要になるのだ。これはなかなか厳しい。また主催者は前述したように幹事社を含め数社が名を並べており、儲けを配分することも必要だ。

だからこそ主催者は来客のためのPRに精を出し、会場にできるだけ押し込みつつ、入場チケット以外の販売にも血道を上げることになる。

マスコミとのもたれ合い

マスコミの事業部が展覧会をやるために日参していると、事業部員と国立館の研究員の間には、業者と官庁の関係に似たもたれ合いが生まれる。今は無理だが、少なくとも1990年代までは、新聞社の事業部員は国立の美術館・博物館研究員を接待する費用は青天井で出せた。ましてや国立館の研究員から誘われたら費用はこちら持ちで飲みに出かけた。

極端な話だが、国立館の研究員が「パリに行きたい」と言えば、無理に案件をでっち上げて、同行することもあったかもしれない。いずれにせよ、マスコミの費用で国立館の研究員が出張する時は、飛行機はビジネスクラスで泊まるのは高級ホテルだった。確か2000年頃に文化庁の指導があって、そういう関係はなくなったと思う。

なぜマスコミがそのような国立館と展覧会を続けるかと言えば、ほかによりいい会場はないからだ。まず極めて優秀な研究員がおり、中身の決定には時間がかかる反面、美術品を所蔵する内外の館や寺社、コレクターに信用されている。

また自らの所蔵作品も量質ともにほかの公立館とは比較にならないくらい充実している。展示室の設備のレベルも高く、広い。アクセスもいい。一言で言えば、ほかでやるよりも最終的には収益が上がるのだ。

東京周辺で考えたら、国立館の次の候補として挙がるのは東京都美術館（上野）で、その後に横浜美術館や世田谷美術館が来るだろう。

国立西洋美術館では、マスコミと共催する「特別展」のほか、所蔵品の常設展示以外に地味な自主企画を版画素描展示室で開催している。2019年春でいえば「林忠正―ジャポニスムを支えたパリの美術商」展だが、普段は版画や素描の展覧会が多い。それなら油彩画に比べて、輸送料も保険料も格段に抑えられるから。

東京国立博物館は展示面積が2万平米弱で日本では圧倒的に広い。左奥の平成館はマスコミと共催する「特別展」がほとんどだが、常設展を開催する本館や右側の東洋館の一部で「総合文化展」と称する自主企画がある。2019年春には本館の特別4室と5室で「御即位30年記念『両陛下と文化交流―日本美を伝える―』」が開催されていて主催に読売新聞社の名前があるが、これは入場料が1100円なので、「名義」だけの主催だろう。

国立科学博物館では、2019年の特別展「恐竜博2019」のようなマスコミとの共催展を「特別展」と呼び、小さめの地味な自主企画展を「企画展」と呼んでいて、こちらは会場も狭い。2019年春には「100年前の東京と自然―プラントハンターウィルソンの写真から―」を開催している。

ここからわかることは、国立西洋美術館や東京国立博物館や国立科学博物館は自前の予算では、企画展示室の「特別展」を開催しない(できない)ということだ。あくまでマスコミに「おんぶにだっこ」でお金のかかる展覧会を開催する仕組みができあがっている。

もちろんマスコミに強制しているわけではないし、館には大型の特別展の予算がないのだから仕方がない。新聞社は昔ほど鷹揚にお金は出さなくなったが、その分テレビ局の勢いは増す一方なので、全体としてはこうした国立館の特別展はマスコミと国立館の双方の合意のもとに続いている。

「分担金」システム

同じ展覧会でも、公立や私立の美術館がマスコミと組む時は「分担金」と呼ばれるシステムを使うことが一番多い。これは複数館を巡回する展覧会で用いるもので、要は各館でお金を持ち寄ってマスコミが「胴元」となって共通経費を集めて支出してゆく。地方の公立館では動員が見込めないため、国立館のようにマスコミが諸経費を負担することはない。

分担金にふくまれるのは、調査費、借用料、輸送費、保険料、出張費が主で、参加する館はそれ以外に各館の展示費用や広報費用を払う。当然ながら、各館で想定される観客数で分担金の額は違う。私が実際に企画したある展覧会では、東京都1500万円、大阪府1000万円、石川県900万円、山口県700万円だった。これで集まった4100万円をマスコミが作品輸送費などに使ってゆく。

このくらいの予算の巡回展には、テレビ局はあまり手を出さない。手間が多い割に国立館のように分配はなく入場料はすべて開催館に行くので収益の上限が限られているからだ。新聞社などの外部主催者は参加する各館学芸員の協力のもとにカタログほか絵葉書などを作って、各美術館に卸す。これが主催者の儲けになる。分担金方式の巡回には、百貨店の催事場が加わることもある。いずれにしても、新聞社の担当者は長年の経験で全体費用を見積もり、各館に割り振ってゆく。

所蔵先が国内のみの時は、分担金はこれより安くなる。いずれにしても会議のための出張費も含めて新聞社が出す形なので、参加美術館は分担金のほか、展示、広報などの館内予算だけで十分で、学芸員の不手際や不測の事態でも予算をオーバーする心配もない。そのリスクは新聞社が負う。所蔵先が海外の場合は国際輸送費のほかに海外調査費も含まれる。一言で言えば、共通経費で海外出張費を払う。

地方の公立美術館の学芸員には海外出張の機会はめったにないので、海外出張が付いた企画は好まれる。分担金方式では入場料収入はすべて各参加館に入るので、「ギャラ売り」という言い方もある。「ギャラ」＝「入場料」を売るというイメージである。新聞社としては観客数に関係なく収支を計算できるので、手堅い企画となる。複数館で巡回すればカタログほかの収益もそれなりに上がる。

美術館連絡協議会

読売新聞社は、１９８２年に美術館連絡協議会（美連協）を発足させた。今では１４８館の全国主要公立美術館が参加している。これは年会費を納める代わりに、展覧会の巡回を斡旋するもので（分担金は別途）、学芸員主体の地味な展覧会を他館と費用を分担して立ち上げるのに役立っている。さらに美連協は展覧会やカタログに賞を与えたり、学芸員の海外研修派遣をしたりと、参加美術館の要望に応えている。

日本の公立美術館が、例えば三館で共同企画をする際に、一館が幹事として他館から共通経費を吸い上げることは難しいので、美連協は財布代わりにもなっている。例えば、読売新聞社と美連協の主催で２０１８年秋に千葉市美術館で始まった「１９６８年　激動の時代の芸術」展は見ごたえのある内容だったが、年末から19年１月に北九州市立美術館、２月から３月に静岡県立美術館を巡回している。この展覧会がどういうきっかけで始まったか知らないが、一館が発案して、美連協が巡回先を探す場合も多いようだ。もちろん新聞社の事業部本体でもできるが、美連協を作ってネットワークを明確化したことで、読売新聞社は地方公立館との仕事が増えた。

分担金以外の公立館の参加システムとして、「実行委員会方式」と「貸館方式」がある。「実行委員会方式」は新聞社と美術館が共通費用を出し合って、出資比率に応じて入場料収入を分け合うもの。これは映画の製作委員会方式にかなり近い。ある程度の動員が見込める場合は新聞社も公立館もいいが、入場者数が予測を下回ると両者とも大変なことになるので、大都市しかできない。

「貸館方式」は美術館が新聞社から一定金額を期間に応じて徴収するもので、ある意味で場所貸しに近い。東京都美術館や京都市美術館、森アーツセンターギャラリー（六本木、森美術館の階下）がそうだし、かつては世田谷美術館もこの方式を取り入れたことがあった。新聞社にとっては、会場費が定額なので入れば入るほど儲かる仕組みになっているが、現実問題として東京周辺や関西以外では難しい。

実際は、一つの展覧会でも東京は国立館で丸抱え、神戸は実行委員会、福岡は分担金方式という具合にこの4方式を各館の事情に応じて組み合わせる場合もある。あくまで参加する館の事情が一番尊重される。

「これで1千万円です」

私は1993年に32歳で朝日新聞社の文化企画局（現在は「文化事業本部」）採用で

中途入社した。すぐに、国立館の丸抱え、それ以外の分担金、実行委員会、貸館などの方式をいっぺんに教えてもらった。国際交流基金において海外で開催する日本美術展の仕事をしていたので、展覧会の仕組みは知っていたつもりだったが、この日本独自の美術館・博物館の予算方式は実は全く知らず、目からウロコだった。特に国立館が一切費用を負担しない仕組みには心底びっくりした。

とりあえず先輩が企画した展覧会の展示を手伝うことから始まった。当時は国税庁が新聞社の接待を経費として認めていたこともあったし、それ以上にバブルは崩壊しても新聞社の景気はよかったので、こんなにお金を自由に使っていいものかと驚いた。

国立、公立、私立にかかわらず、美術館・博物館の多くの学芸員は当然ながら自分が発案して展覧会を企画したいと考えている。そのためには予算が必要だが、自分の館だけで無理な場合は新聞社や美連協と組んで何とか実現しようとする。たぶん自分が一から企画した展覧会を実現できるのは、「できる」学芸員でも数年に1本ではないだろうか。新聞社の事業部員としてはそうした要望に応えるために、さまざまな美術館に足繁く通い、学芸員たちからネタを集める。ちょっとした立ち話から企画が始まったこともあるし、実際に四館の学芸員と一緒に集まって何度も企画会議をやりながら、結局実現しなかった展覧会もある。

新聞社の事業部員は、普通は美術館の「助っ人」的な役割が多いが、なかには自分で一から展覧会を作りたいと思う者も少なくない。私もその一人だったが、15年間も事業部にいて全くゼロの状態から作り上げて最後まで見届けることができた展覧会は、たぶん4本しかない。ちなみに私の今の専門である映画の特別上映や映画祭は、予算が2、3千万円と展覧会に比べて少ないので、20本以上を全くゼロから自分で企画したが。

国立館でやるようなクラスの大規模な展覧会は3〜5年かかるので、既に始まった企画を引き継いで実現したり、立ち上げから参加したが実現する頃には異動になったりで、一度も最初から最後までやったものはない。

もともと事業部員が自分で企画する展覧会を社内で通すには、数年は修業が必要だ。最初に企画したのは「映画伝来―シネマトグラフと〈明治の日本〉」展（1995〜96年）で、入社1年後にたまたまフランスから私宛に連絡が来たネタをもとに企画書を作り、全国各地の美術館へ企画書を送って会いにいくうちに、兵庫県立近代美術館のK学芸員が「ぜひやりたい」と言ってきた。当然1館では予算が無理なので、その学芸員と一緒に東京と福岡の会場を探した。そして渋谷区立松濤美術館と福岡県立美術館が受け入れることになり、さらに数社の小口の協賛企業を見つけてどうにか実現にこぎつけた。

これも含めて自分で企画した4つの展覧会は分担金が中心の小ぶりのものばかり。A4の紙1枚か2枚の企画書を学芸員に差し出して、「これで分担金は1千万円です」と言う自分の姿は我ながら本当に詐欺師のようだった。また、私は仏語ができたこともあってフランスのルーヴル美術館、オルセー美術館、ポンピドゥー・センターの国立近代美術館、ピカソ美術館といった大美術館に御用聞きのように年に何度か通い数年先の企画をお願いするのも、今思い出すと何とも情けなかった。

その4つの展覧会も、私が引き継いだり企画して後輩に残したりした展覧会のいずれも収支はトントンがせいぜいで、残念ながら会社に大きな収益をもたらすものはなかった。それでも2000年頃までは「やりたいならやらせたらいい」という気風がどこの新聞社の事業部にもあったと思う。ところがどの新聞社も広告収入も購読者も減って経営が傾いたこともあり、私のような企画欲の強い展覧会屋は社内で用済みになってしまった。

朝日企画部の名物列伝

朝日新聞社の場合は、1993年に入社した時は「文化企画局企画一部」。それが「文化企画局文化企画部」となり「事業本部文化事業部」となり、現在は「企画事業本部文化事業部」である。アタマの「文化」という文字がなくなり、「企画」と「事業」が中心になったことがよくわかる。

この本部の事業開発部では通販、スポーツクラブ、住宅展示場などを運営している。最近は地方公立美術館・博物館との仕事を減らし、国立館との大型展覧会に多くの部員を当てる形に変わってきていると聞く。要はテレビ局の事業局に近づいているようだ。

私が入社した頃の朝日新聞社企画部には、たくさんの「名物」社員がいた。Aさんは例えば平山郁夫展をやるのに、所蔵家や所蔵する画廊に電話をかけまくる。そこで、出品に否定的な意見が出ようものなら、「平山先生にお宅の反応をお伝えしたら、何とおっしゃるかなあ」と脅しをかけながら、出品交渉をしていた。作品集荷には日本通運などの美術梱包車を2台用意させて、1台が作品で一杯になると倉庫に返し、自分は別の1台に乗って次の集荷に出かけるという時間節約の特技もあった。

朝日新聞社は昔から大英博物館と継続的な関係を結んでいるが、その基礎を作ったのはＯさんという下町のおばさんのような雰囲気の方だった。およそ美術がわかっているようには見えなかったが、得意の英語を駆使して大英博物館の人々を英国でも日本でも小まめにもてなしていた。彼女は館長から作業員に至るまで先方の心をがっちりつかんでしまうのだ。

一方で「専門家」もいた。別のＯさんは地方の公立美術館学芸員の出身で現代美術の専門家だったが、経理処理や広報などの雑用を巧みに避けるプロでもあった。それでいて、展覧会カタログには学芸員と同じように文章を書いていた。現代美術の世界では一目置かれていたので、彼の信頼で巡回館が決まったこともよくあったものだ。

Ｋさんはドイツで美術史の博士号を取得してドイツ語にも堪能だったが、あまり会社に来なかった。時々現れては企画書を見せて、いつの間にか若手社員に手伝わせて展覧会を実現していた。語学をはじめ何らかの「特殊技能」を持つ人が何人もいて、バランスの取れた運営能力のある部員はかつては少なかった。

もともと１９８０年頃までは、企画部員として新卒は採用していなかったことも関係しているだろう。編集局などほかの部署で長年バイトをした人の社員採用組が多かったし、社内合理化でほかの部署から転籍の社員も来た。明らかにワケアリの社員も来た。

あるいは美術界から学芸員にも学者にも向かない変わり者がやって来た。

編集局から部長や局長などの管理職として「天下り」した元記者は、おおむねその集団をおもしろがった。社内では企画部は「きらく部」と呼ばれていたくらいで、本当に毎日パーティばかりやっていると思われていた。それが2005年頃には新聞業界の不景気もあって、いつの間にかみんなまじめで収益第一の事業部に様変わりした。

事業部は本当に必要か

公立美術館によっては、館の方針として基本的に新聞社などメディアからのオファーを一切受け付けないところもある。すると学芸員は少ない予算で企画から広報まですべてを自分でやる必要が出てくるが、力はつくと思う。またその館独自の特色も次第に出て来る。

新聞社と組む館でも、学芸員の自主性を重んじ、新聞社の事業部は「利用する」ものと割り切っているところも多い。今や海外の情報をマスコミが独占する時代ではないし、学芸員の内外の人脈もどんどん広がっている。

韓国にはあると聞いたが、少なくとも欧米ではマスコミが展覧会に資金的に参加することはない。それでも大美術館も地方の美術館もそれなりに回っているように感じる。

ルーヴルのように年に1千万人の入場者があれば、入場料15ユーロ＝約1800円で年180億円の収入になる。ルーヴルではそれが全体予算の4割だと聞いた。そうなればもちろん学芸員も事務局員も日本の何倍もの数が必要ではあるが。

なぜマスコミは展覧会を続けるのか。本業以外での収益というのが掲げている名目ではあるが、本当に儲かっているのか。

私はマスコミが展覧会で儲かるというのは、一種の幻想ではないかと考えている。もし各社で人件費や管理費まで計上し、10年単位で計算したら少なくとも新聞社はすべて赤字なのではないか。これは中にいた者の感触でしかないが。新聞社にとっての展覧会には、テレビ局が映画を作るような親和性もないのだ。

なんとなく続けている理由はいくつかある。一番大きなのは、企画に時間がかかることだ。もともと事業局長や事業部長は、記者か広告局からの社内天下りポストである場合がほとんどだ。彼らは2、3年しかいない。だから1本の企画を最初から最後まで見ることはまずない。そんな彼らは継続している企画を止めることはできない。

そのうえ、展覧会は上に座る者にとって華やかな場面が多い。海外出張をして調印式をしたり、お金を出した美術館の館長や運営委員会の理事長に接待されたり。こういうことに慣れていない元記者ほど舞い上がる。そして展覧会のオープニングで開催館の館長の次に挨拶し、派手なオープニング・パーティのホストとなる。先方の館長が来れば、フランスやイギリスの在京の大使館でのディナーに招待される。展覧会場に皇室を迎えることも多い。自分の会社の社長や役員に説明をすることも多いので、ゴマすりのいい機会になる。

日本テレビの会長だった故・氏家齊一郎氏は、ルーヴル美術館の《モナ・リザ》展示室の改装費用を出した貢献により、フランスで最も格が上の「レジオン・ドヌール勲章」をルーヴル美術館において文化大臣から授与された。こうした名誉は大なり小なり各社の社長や会長があずかっており、「やめられない」理由の一つであろう。

もし事業部をなくしたら

長年事業部にいる者は、自分たちのやっていることが本当に会社に利益をもたらしているかには疑問を抱いていると思う。しかし30代半ばを超せば、もはや展覧会を作る以外にできることはないし、とりあえず新聞社やテレビ局は高給なので、あえて独立して企画会社を作る者はめったにいない。できるだけ今の状態が続くことを祈りながら、何とか綱渡りで上司をごまかしつつ現状維持を図る。できる社員なら大量動員できる展覧会をこなしながらも、自分がやりたい展覧会も時々実現する。そんなところではないだろうか。

新聞の美術記者にとっても、展覧会の費用で海外出張できることは予算の少ない文化部にとっていい機会ということは前述した。しかしテレビ局はともかく、美術批評を載せている新聞社が展覧会を資金的にも内容的にも運営しているという状況はやはりおかしいのではないか。映画の出資もそうだが、それによって文化部の記者は無理に記事を書かせられることになるから。

美術記者にとって事業部の金で行く海外出張はまともな取材とは言い難い。一つの展覧会で一頁のカラーの特集記事が数回出たら、読者は何を信じていいかわからなくなる。今後部数がさらに減ることを考えれば、ジャーナリズムの原点に戻った取材が求められると思う。実際、同じ社員でありながら、事業部員が美術記者に費用持ちで出張を依頼するのは、お互いに居心地の悪いものだった。

もしマスコミの事業部がなくなったら、美術館・博物館はどうなるだろうか。短期的にはかなり苦労するだろう。例えば東京国立博物館はあの広い平成館2階の2室を埋めるのには相当の予算が必要になる。仮に展覧会ができたとしても、マスコミが自社メディアを駆使して動員するようなことはなくなる。しかし運営スタッフを増やして内部で広報や資金集めをする人材を揃えていけば、10年もたてばうまくいくのではないか。新聞社などを辞めた元事業部員を雇えばいい。

東京国立博物館ほどの所蔵品があれば、企画展を無理にやらなくても常設展を魅力的に見せて観客を集めればいい。特に最近増えている外国人観光客を考えたら、その方がより効果がある。ルーヴルの《モナ・リザ》や大英博物館の《ロゼッタ・ストーン》のように、東博の雪舟や等伯や若冲が有名になればいい。

日本の国立館が世界水準になるためには、企画展だのみの動員という考えを根本的に改める必要がある。日本画などの「紙もの」は作品保存が難しく展示期間の問題はあるが、せめて運慶の彫刻などは目立つ場所に常時展示して「目玉」にして欲しい。

地方の公立館はもともと自前で展覧会を作るところが多い。困るのは巡回展だが、これは全国の国・公・私立の美術館・博物館400館近くが加盟する全国美術館会議が、美連協の仕組みを取り入れつつ引き取るか、新たな中立の組織を作ることが必要だろう。

国立館と同じく広報や資金集めにも困るだろうが、これはスタッフを増やして育てるしかない。もちろんここでも常設展の充実が基本にあることは言うまでもない。何十年もかけてマスコミと共にいびつな発展を遂げたイベント中心の日本の美術館・博物館が、所蔵作品の展示を基本とした正常化への道をたどるには長い地道な努力が必要だろう。

国立であれ公立であれ私立であれ、展覧会の開催をマスコミの資金や宣伝力が支えているのはどう考えてもゆがんだ構造であり、どちらにとってもよくない。そしてそれは世界の美術界のスタンダードからは大きく外れている。

実は私も外国政府から小さな勲章をもらったからあえて書くが、勲章をもらって喜ぶのはジャーナリストにふさわしい姿ではない。

第４章　明治以降の展覧会と平成型展覧会

貸し会場として生まれた東京都美術館

日本全国に、美術館や博物館は何館あるのだろうか。文部科学省が3年おきに発表している「社会教育調査」では２０１５年の調査で「博物館」が１２５６、「博物館類似施設」が４４３４ある。「類似施設」は国や自治体に登録していない、文化庁や教育委員会の管轄にないなどの館を指すが、ここでは詳細は省く。

「博物館」はさらに「総合博物館」「科学博物館」「歴史博物館」「美術博物館」「野外博物館」「動物園」「植物園」「水族館」などに分かれるが、「美術博物館」は４４１ある。動物園や水族館が博物館に含まれるとは普通は考えにくいが、ルーヴル美術館や大英博物館がもともと世界の珍しい宝物を集める場所だったことを考えると納得が行く。

前章で国立館を概観したので、地方自治体の所有になる主な館をざっと挙げてみよう。

東京都立としては、東京都美術館のほかに東京都庭園美術館（白金台）、江戸東京博物館（両国）、東京都写真美術館（恵比寿）、東京都現代美術館（木場）などがある。いずれもが東京都歴史文化財団の運営だが、国立新美術館と並ぶ大型展向きの立地と会場を有するのは東京都美術館のみである。

地方の公立美術館で東京都美術館と並ぶ大型展の会場を持つのは、貸し会場を中心とした京都市美術館（開館1933年、2020年3月のリニューアルオープンより京都市京セラ美術館）と大阪市立美術館（開館1936年）だ。そのほか東京の大型美術展が巡回する会場としては、北海道立近代美術館、宮城県美術館、横浜美術館、愛知県美術館、神戸市立博物館、広島県立美術館、福岡市美術館あたりだろうか。

東京には世田谷美術館、目黒区美術館、練馬区立美術館、渋谷区立松濤美術館、板橋区立美術館など区立の美術館もある。

私立では1930年にできた岡山県の大原美術館、41年の青山の根津美術館、戦後開館の京橋のブリヂストン美術館（現・アーティゾン美術館）、六本木のサントリー美術館、有楽町の出光美術館、ひろしま美術館、箱根のポーラ美術館、千葉県のＤＩＣ川村記念美術館などが有名だ。これらは特色あるコレクションで知られるが、渋谷の

東京都美術館。上野動物園表門入口の右手奥に

Bunkamuraザ・ミュージアムのように所蔵品を持たない展覧会場もある。

なかでも特筆すべきは、東京都美術館だろう。前身である「東京府美術館」は１９２６（大正15）年に日本初の地方自治体が建てた美術館であり、その後の日本の公立美術館や展覧会の一番のモデルとなったからだ。

本章ではこの美術館の変遷を見ながら、日本の展覧会史を振り返ってみたい。

一言で言えば、この美術館は建設の目的から世界的にMuseumと呼ばれるものとは大きく異なっていた。作品を収集して常設展示するのではなく、外部から作品を持ち込んで展示するための「展覧会場」だったからだ。それも学芸員などの専門家が展覧会の企画をするのではなく、基本的には美術団体や公的機関や新聞社のための「貸し会場」であった。

ウィーン万国博覧会への出品物を見せる場所として造られた東京国立博物館。後に帝国博物館、東京帝室博物館と改名し、上野公園で行われた内国勧業博覧会（１８７７年）の開催にあたって上野に移転する。その際にその会場の一つが竹之台陳列館として美術団体に貸し出されるようになり、その役割を引き継ぐ形で、日本で最初の公立美術館として生まれたのが東京府美術館、いまの東京都美術館だ。

だからこの美術館は最初から所蔵品を持たず、帝展（後の文展や日展）のような政府の官展のほか、日本美術院や二科会など明治末から大正にかけて増えた美術団体に貸し出されてきた。開館の翌27年には、大正から昭和になった記念として朝日新聞社が「明治大正名作展」を主催して、17万人という当時としては異例の入場者を記録している。

ここからの歴史をざっと見て行こう。

「戦争画」展が大入りに

その後もこの東京府美術館では美術団体と新聞社を中心に、東京府や政府が主催する展覧会が続く。なかでも特筆すべきは「戦争画」の展覧会だろう。これは現代のマスコミ主導の大型展の元祖ではないか。

１９４０年の文部省主催「紀元二千六百年奉祝美術展覧会」は、主要美術団体が参加した大展覧会で、入館者は30万人を超えている。新聞社、とりわけ朝日は戦争画展に熱心で、39年「聖戦美術展」、42年「大東亜戦争美術展」などをこの美術館で開催している。

最近では展覧会の入場者が30万人を超すことは珍しくないが、戦前の戦争画展の大量動員はその原型と言えるかもしれない。紀元二千六百年を記念する展覧会は39年から40年までに30種類くらいあるが、朝日のみならず、読売、毎日などあらゆる新聞社が、東京帝室博物館や東京府美術館ほか、全国の百貨店で開催している。

一番話題になったのは39年の紀元二千六百年奉祝会主催の「紀元二千六百年奉讃展覧会」で、高島屋東京店に始まって、大阪、京都、福岡、鹿児島、名古屋、札幌、広島の百貨店のほか、翌年には新京、奉天、大連でも開催されている。東京で約１００万人、全体で約４４０万人が見たとされている。単純に入場者だけで比較すれば、巡回展とはいえ一つの展覧会で４００万人を超す展覧会は、空前絶後と言えよう。

東京府美術館は43年に都制施行により東京都美術館と改名するが、戦後も「貸し会場」であり続けた。つまり日展などの美術団体主催の公募展と新聞社の展覧会が中心で、学芸員は不在だった。しかし当時は新聞社がかなり前衛的な展覧会を開催することも多かった。

読売新聞社主催の「読売アンデパンダン展」は、1949年から63年まで毎年開催されたが、ジャクソン・ポロックやルネ・マグリットを展示したり、ネオダダの赤瀬川原平や九州派の菊畑茂久馬らが参加したりしている。毎日新聞社主催の「日本国際美術展」と「現代日本美術展」は隔年で開催されて、日本の現代美術に大きな役割を果たした。特に1970年の第10回日本国際美術展「東京ビエンナーレ'70　人間と物質」は美術評論家の中原佑介をコミッショナーとして迎えた本格的な国際展で、伝説的に語り継がれている。

1975年に前川國男の建築で東京都美術館は新しく建て替わり、収蔵庫を持つと同時に学芸員も配置された。それからは「現代美術の動向Ⅰ　一九五〇年代―その暗黒と光芒」（1981年）を始めとして、20世紀の現代美術を検証する展覧会を学芸員が中心となって立て続けに企画した。収蔵作品も次第に増えた。しかし1995年に東京都現代美術館（木場）がオープンすると、3千点の収蔵品すべてと共に学芸員のほとんどはそちらに移動した。

国立新美術館の時代

残された2名の学芸員は、新聞社の大型展を引き受けるようになった。93万人を動員した2008年の「フェルメール展　光の天才画家とデルフトの巨匠たち」を筆頭に、ルーヴル美術館展、大英博物館展、オルセー美術館展などの「○○美術館展」を複数回実施し、多くは40万人から60万人を動員している。

もちろん一方で公募展などへの場所貸しは75年以降もめんめんと続いている。また、2012年に改装をしてからは学芸員も増え、2019年の「伊庭靖子展　まなざしのあわい」など小さめの展覧会も自主企画しているほか、公募展と連携した「公募団体ベストセレクション　美術」展なども開催している。

異変があったのは、既に書いたように2007年に国立新美術館（六本木）がオープンしたことである。所蔵作品を持たず、巨大会場を美術団体に貸し出し、マスコミと共催展をするさまは東京都美術館の豪華版が六本木にできたようなものだ。しかも施設は真新しい。21世紀になって、大型の西洋美術展は主として東京都美術館と国立新美術館で開催されるようになったと言えるだろう。

日本の公立美術館は70年代から90年代半ばにかけて急増するが、そこには必ずといっていいほど「県民ギャラリー」や「市民ギャラリー」や「区民ギャラリー」があり、美術団体などに貸し出されてきた。また常設展会場がない館も多い。これらはすべて東京都美術館をモデルとしたものであったのではないか。

何よりも各自治体が、美術館とはまずイベント会場だと思ってしまった。本来の地域に根差した収蔵品の収集による特色あるコレクションを形成し、じっくりと見せてゆく活動よりも、華やかで入場者数の多い展覧会を新聞社と組んでやることを重視するような展示室を作り、実際に新聞社との共催事業を望んだのだ。

日本一観客を集めたのは

淺野敞一郎著『戦後美術展略史１９４５―１９９０』（求龍堂、１９９７年）という本がある。これは朝日新聞社の記者や企画部を経験した著者が、戦後45年間の展覧会を各年ごとに述べて分析したものだ。驚くべきはそれぞれに新聞社などの主催者名と総入場者数と1日当たりの入場者数が加えられている詳しさで、これは著者の経歴にも拠るものだろう。

これまで日本で一番観客の多かった展覧会は何だろうか。本書を参照しながら、戦後の展覧会史を見ていこう。

１会場で言えば、答えは１９７０年に大阪の万国博覧会会場で開かれた「万国博美術展」で、１７７万5千人を超している。ものすごい数と言えるが、万国博覧会自体に6千万人を超す入場者があり、この展覧会も3月から9月まで6か月も開催されていたことを考えると、万博全体の3％だから驚くには当たらないかもしれない。１日平均９８０８人というのも、今の基準から考えるとありえない数字ではない。

「万国博美術展」の内容は、世界41か国の協力を得て、「世界美術史」を見せるものだった。「原始の声・古代の声」「東西の交流」「聖なる造型」「自由への歩み」「現代の躍動」という5部門に分かれ、海外の約１００の所蔵先を含む７３２点が展示された（展示替えのため、常時約５００点）。

大阪万博自体のテーマが「人類の進歩と調和」で、高度経済成長期の日本にふさわしい、希望に満ちたものだったのではないか。１９６４年に東京オリンピックが開催され、１９６８年には国民総生産（ＧＮＰ）が旧西ドイツを超して世界2位になった。

1会場で100万人を超したのは、ほかには4展のみだ。
「ツタンカーメン展」130万人　1965年、東京国立博物館、朝日新聞社共催、京都市美術館と福岡県文化会館に巡回した（総入場者は295万人）
「モナ・リザ展」151万人　1974年、東京国立博物館
「バーンズ・コレクション展」107万人　1994年、国立西洋美術館、読売新聞社共催
「エジプト考古学博物館所蔵　ツタンカーメン展～黄金の秘宝と少年王の真実～」115万人　2012年、上野の森美術館、フジサンケイグループ共催
「バーンズ・コレクション展」と2012年の「ツタンカーメン展」は平成以降の展覧会のスペクタクル化の文脈で論じるべきなので後述するとして、残る3本の展覧会が60年代後半から70年代前半に集まっていることに注目したい。まさに大阪万博にのべ6千万人が集まったような、熱狂の時代の産物だったと言えよう。
映画の世界では興行収入（チケットの総売り上げ）が10億円（つまり平均単価130

0円で80万人弱）がヒットの目安で、出版は10万部になればベストセラーと言う。展覧会では成功の基準はどうかというと、まず１つの会場で30万人を超すかどうかが目安となるのではないか。そうすればチケット総売り上げが５億円近くなり、カタログやグッズ収入を加えたら黒字になることが多い。当然、50万人を超せば大ヒットだが、なかなかあるものではない。

メガヒットとなった展覧会

戦後の昭和の美術展で１館で50万人を超すような主なものを『戦後美術展略史１９４５―１９９０』と雑誌『美術の窓』の２０００年以降の毎年１、２月号の「入場者ベスト展覧会」を参考に以下に挙げてみた。

１９５４年「フランス美術展」／49万人／東京国立博物館＋朝日新聞社（福岡県産業貿易館、京都市美術館に巡回）

１９５８年「フィンセント・ファン・ゴッホ展」／50万人／東京国立博物館＋読売新聞社（京都市美術館に巡回）

1961年「ルーヴルを中心とするフランス美術展」／72万人／東京国立博物館＋国立西洋美術館＋朝日新聞社（京都市美術館に巡回）
1963年「エジプト美術五千年展」／63万人／東京国立博物館＋朝日新聞社（京都市美術館に巡回）
1964年「ミロのビーナス特別公開」／83万人／国立西洋美術館＋朝日新聞社（京都市美術館に巡回）
1966年「フランスを中心とする17世紀ヨーロッパ名画」／52万人／東京国立博物館
1971年「ルノアール展」／56万人／池袋西武百貨店＋読売新聞社（福岡県文化会館、兵庫県立近代美術館に巡回）
「ゴヤ展」／57万人／国立西洋美術館＋毎日新聞社（京都市美術館に巡回）
1974年「セザンヌ展」／54万人／国立西洋美術館＋読売新聞社（京都市美術館、福岡県文化会館に巡回）
1978年「古代エジプト展　ファラオと王妃・ナイルの秘宝」／60万人／東京国立博物館＋読売新聞社（名古屋市博物館、福岡県文化会館、京都市美術館に巡回）
1982年「ミレーの『晩鐘』と19世紀フランス名画展」／53万人／国立西洋美術館＋読売新聞社（京都国立近代美術館に巡回）
1987年「西洋の美術　その空間表現の流れ」／61万人／国立西洋美術館＋読売新聞社＋日

本テレビ

平成以降は以下の通り。

1990年「日本国宝展」／77万人／東京国立博物館＋読売新聞社

1996年「モデルニテ＝パリ・近代の誕生　オルセー美術館展」／64万人／東京都美術館＋日本経済新聞社

1997年「ルーヴル美術館展　18世紀フランス絵画のきらめき　ロココから新古典派へ」／52万人／東京都美術館＋読売新聞社

1999年「オルセー美術館展1999―19世紀の夢と現実」／59万人／国立西洋美術館＋日本経済新聞社

2000年「世界四大文明―エジプト文明展」／62万人／東京国立博物館＋NHK

2002年「プラド美術館展：スペイン王室コレクションの美と栄光」／52万人／国立西洋美術館＋読売新聞社

2003年「大英博物館の至宝展」／51万人／東京都美術館＋朝日新聞社＋テレビ朝日

2004年「KUSAMATRIX 草間彌生展」／52万人／森美術館

2005年「ルーヴル美術館展　19世紀フランス絵画　新古典主義からロマン主義へ」／62万人／横浜美術館＋日本テレビ＋読売新聞社

「ゴッホ展　孤高の画家の原風景」／52万人／東京国立近代美術館＋NHK＋東京新聞

2006年「プラド美術館展　スペインの誇り　巨匠たちの殿堂」／50万人／東京都美術館＋読売新聞社＋日本テレビ

「杉本博司：時間の終わり」／52万人／森美術館

2007年「レオナルド・ダ・ヴィンチ―天才の実像」／80万人／東京国立博物館＋朝日新聞社＋NHK

「大回顧展モネ」／71万人／国立新美術館＋読売新聞社

2008年「フェルメール展　光の天才画家とデルフトの巨匠たち」／93万人／東京都美術館＋TBS＋朝日新聞社

「ル・コルビュジエ展：建築とアート、その創造の軌跡」／59万人／森美術館＋NHK＋読売新聞社

2009年「興福寺創建1300年記念『国宝　阿修羅展』」／95万人／東京国立博物館＋朝日新聞社＋テレビ朝日

「ルーヴル美術館展　17世紀ヨーロッパ絵画」／85万人／国立西洋美術館＋日本テレビ＋読売新聞社

「国宝　薬師寺展」／79万人／東京国立博物館＋NHK＋読売新聞社

「興福寺創建1300年記念『国宝　阿修羅展』」／71万人／九州国立博物館＋朝日新聞社＋九州朝日放送
「海のエジプト展～海底からよみがえる、古代都市アレクサンドリアの至宝～」／70万人／朝日新聞社＋TBS（パシフィコ横浜）
「ルーヴル美術館展　17世紀ヨーロッパ絵画」／62万人／京都市美術館＋読売テレビ＋読売新聞社
「大恐竜展　知られざる南半球の支配者」／57万人／国立科学博物館＋読売新聞社

2010年
「オルセー美術館展2010『ポスト印象派』」／78万人／国立新美術館＋日本経済新聞社
「没後120年ゴッホ展　こうして私はゴッホになった」／60万人／国立新美術館＋東京新聞＋TBS

2011年
「恐竜博2011」／59万人／国立科学博物館＋朝日新聞社＋TBS
「『空海と密教美術』展」／55万人／東京国立博物館＋読売新聞社＋NHK

2012年
「エジプト考古学博物館所蔵　ツタンカーメン展～黄金の秘宝と少年王の真実～」／93万人／関西テレビ＋産経新聞社＋フジテレビ（大阪天保山特設ギャラリー）
「マウリッツハイス美術館展　オランダ・フランドル絵画の至宝」／76万人／東京都美術館＋朝日新聞社＋フジテレビ

「東京国立博物館140周年　特別展『ボストン美術館　日本美術の至宝』」／54万人／東京国立博物館＋NHK＋朝日新聞社

「尾田栄一郎監修　ONE PIECE展～原画×映像×体感のワンピース」／51万人／森アーツセンターギャラリー＋朝日新聞社＋集英社＋東映アニメーション＋ADK＋フジテレビ

「ツタンカーメン展～黄金の秘宝と少年王の真実～」／115万人／上野の森美術館＋フジテレビ＋産経新聞社

2013年「深海」／59万人／国立科学博物館＋海洋研究開発機構＋読売新聞社＋NHK＋NHKプロモーション

「ラファエロ」／51万人／国立西洋美術館＋読売新聞社＋日本テレビ

2014年「オルセー美術館展　印象派の誕生―描くことの自由―」／71万人／国立新美術館＋読売新聞社＋日本テレビ

2015年「ルーヴル美術館展　日常を描く―風俗画にみるヨーロッパ絵画の真髄」／66万人／国立新美術館＋日本テレビ＋読売新聞社

「マルモッタン・モネ美術館所蔵　モネ展」／76万人／東京都美術館＋日本テレビ＋読売新聞社

2016年「オルセー美術館・オランジュリー美術館所蔵　ルノワール展」／68万人／国立新

美術館＋日本経済新聞社

２０１７年「恐竜博２０１６」／51万人／国立科学博物館＋朝日新聞社＋テレビ朝日

「国立新美術館開館10周年　チェコ文化年事業　ミュシャ展」／66万人／国立新美術館＋ＮＨＫ＋朝日新聞社

「開館１２０周年記念　特別展覧会　国宝」／62万人／京都国立博物館＋毎日新聞社＋ＮＨＫ京都放送局

「興福寺中金堂再建記念特別展『運慶』」／60万人／東京国立博物館＋朝日新聞社＋テレビ朝日

「国立新美術館開館10周年　草間彌生　わが永遠の魂」／52万人／国立新美術館＋朝日新聞社＋テレビ朝日

「レアンドロ・エルリッヒ展：見ることのリアル」／61万人／森美術館

２０１８年「ムンク展―共鳴する魂の叫び」／67万人／東京都美術館＋朝日新聞社＋テレビ朝日

「フェルメール展」／68万人／上野の森美術館＋産経新聞社＋フジテレビ

「六本木ヒルズ・森美術館15周年記念展　建築の日本展：その遺伝子のもたらすもの」／54万人／森美術館

２０１９年「塩田千春展：魂がふるえる」／67万人／森美術館

「クリムト展　ウィーンと日本　1900」／58万人／東京都美術館＋朝日新聞社＋TBS

メガヒットから中ヒットへ

この一覧から、いくつかのことがわかる。

（1）基本的には、戦後は19世紀までの西洋美術を扱った展覧会が新聞社との共催で大量動員をしていた。

（2）当初は朝日新聞社が圧倒していたが、読売新聞社が巻き返す。日本経済新聞社は90年代以降に展覧会に進出し、オルセー美術館展を連続して開催する。80年代以降、日本テレビやテレビ朝日、TBSテレビなどテレビ局の進出が目立つ。

（3）ルーヴル美術館はかつては主に読売新聞社が握っていたが、今は日本テレビが中心となって展覧会を開く（主催の順番で最初にあるのが中心となる幹事会社）。大英博物館は従来から朝日新聞社と近い。

（4）大型展の会場は、かつては東京国立博物館のみだった。ゴッホ展やルーヴル展は国立西洋美術館が主催に加わって内容を監修していた。60年代からは国立西洋美術館が会場に加わる。95年からは東京都美術館が中心となり、２００７年からは国立新美術館がその座を奪ってマスコミと組む大型展の中心的会場となった。東京国立博物館はいつの時代にもコンスタントに観客を大量動員している。

（５）50万人を超す展覧会は平成以降増えている。これは従来の朝日新聞社と読売新聞社以外に日本経済新聞社、日本テレビ、ＴＢＳテレビとマスコミのプレイヤーが増えたこと、「貸し会場」に近い２つの会場、東京都美術館と国立新美術館の２館が加わったことが一番大きな要因だろう。

（６）近年、森美術館や１階下の森アーツセンターギャラリーの健闘が目立つ。特に現代美術を扱う森美術館がマスコミとの共催もせず、50万人を超すのは異例のことである。これはもちろん展望台入場者を含むこともあるが、独自のＳＮＳ戦略にもよる。

（７）百万人を超すメガヒットの展覧会は今世紀になって「ツタンカーメン展」だけである。現在は展覧会の数が増え、かつ50万人超の中規模ヒットが増えた時代である。

テレビ局に学んだＰＲ術

私が朝日新聞社に入社した93年頃は、従来の昭和型の展覧会と新しいタイプの平成型の展覧会の境目だったような気がする。

昭和型の展覧会とは、新聞社スタッフが美術館・博物館の研究員や学芸員、あるいは百貨店の販売促進部の担当者と時間をかけて話し合って展覧会を作り上げてゆくものと言える。収益は後からついて来るもので、大事なのは中身だった。何度も何度も会議を重ねて、関係者の信頼を得たうえで企画を練り上げていった。海外の美術館・博物館から借りる展覧会は、だいたいその地に住む日本人がコーディネーターとして仲介する場合がほとんどだった。海外の美術館と直接交渉することは少なかった。

そして広報という概念はなかった。新聞社が主催するので新聞で告知すれば十分で、新聞以外の広報は全く考慮の外だった。展覧会を組み立てながら会場を探し、カタログを作ること、この2つが企画部の仕事の大半だった。普通は分担金方式で、経費に見合うだけの会場を探して分担金を割り当て、収入はカタログの印刷代や原稿料を除いた売り上げから生まれた。よほど大きなネタがある時のみ、国立西洋美術館などに持ち込んだ。

これがどんどん変わっていくのを私は目の当たりにした。まず80年代半ばにファックスが会社に常備され、さらに90年代半ばからは社員が携帯電話を持ち始めた。２０００

年頃からインターネットやメールも一般的になり（最初は電話回線を使っていたが）、海外とのやり取りが容易になった。飛行機も欧州まで往復10万円台の格安航空券が出回り、海外への出張も簡単にできるようになった。

それがバブルの時期とも重なって、海外の美術館・博物館に多額の借用料を出す習慣ができた。それまでは長い間、文化交流として借用料を要求しなかったのに。私が個人的に知っているだけでも、ルーヴル美術館やオルセー美術館、ポンピドゥー・センターのような大美術館には複数の日本のマスコミが通い始めた。そこで美術館の側はその交渉のためにメセナ部を作り専任職員を雇って、日本からの寄付の額を競わせた。

展覧会の広報に大金を投じるのも、昭和にはなかったことだった。駅張りポスターや中づりなどの交通広告を出すほかにも、地下鉄やＪＲや私鉄とのタイアップをして格安で掲示をしてもらう。自社の新聞にも記事のほかに社内料金で広告を打ち、テレビ局は自社でスポットを打つ。さらに他の新聞にも有料広告を出す。

雑誌そのほかのメディアに宣伝してもらうために、ＰＲ会社に委託することを始めたのは朝日新聞社では96年が最初だったと記憶している。つまり、それまでは展覧会には「マーケティング」という概念もなかった。どうしたら人が入るのか、一般客がある展覧会を選んでお金を払うのか、考えてみたこともなかった。

その「マーケティング」感覚は民放テレビ局が参入してから生まれたように思う。私の場合はテレビ朝日との仕事によって、それを学んだ。私たちが新聞各紙の美術記者や載せてくれそうな雑誌などの名前や住所を集めた社内の小さなリストでラベルを打ち出してプレスリリースを送る作業を見て、テレビ朝日の事業部の人々は「そんなものは外注しないといけない」と教えてくれた。我々担当者はプレスリリースを見た雑誌からの求めに応じて、自分で作品のカラーポジを送っていたのだから。

当時は展覧会のPRを掲げる会社はなかったので、一般の企業を相手にするPR会社や広告会社数社に来てもらって、一社を選んだ。今では展覧会の広報を専門にする会社がいくつもあり、美術館も年間契約で外注しているところも増えている。

それらの会社は、ブロガーやSNSで影響を持つライターを含む美術関係者のリストを持ち、記者会見を仕切り、場合によっては現地取材ツアーもアレンジする。そもそも展覧会を開く2、3か月前に記者会見を開くようになったのは、90年代半ば過ぎである。それまでは記者会見などはなかったし、開幕前日のオープニングの日も開会式の前にプレス向けに内覧会をする習慣もなかった。記者会見には、今も在京のフランス大使館や英国大使館などがよく使われている。

「図録屋」の仕事ぶり

展覧会のポスターやチラシのデザインも、かつては「図録屋」と呼ばれた美術展専門のカタログ制作会社に一任していた。老舗の美術雑誌『美術手帖』を今も出している美術出版社から独立した美術出版デザインセンター（現在は美術出版エデュケーショナル）が最大手で、そこの元社員が独立した数社があった。

彼らは社内外に美術展を専門とするデザイナーを抱えており、展覧会に応じてイメージの合うデザイナーを起用してくれた。こちらは作品リストと作品写真のカラーポジ、原稿さえ用意すれば、カタログもポスターもチラシもチケットもすべて作ってくれた便利な存在だった。メインイメージやキャッチコピーもすべて考えてくれた。

それがテレビ朝日の人々は、広告で有名なグラフィックデザイナーを使おうとした。そこで複数のデザイナーにプレゼン料を払って、ポスターのイメージを提案してもらって決めるようになった。キャッチコピーはＰＲ会社と相談し、時には大手広告会社に依頼することもあった。

時代はちょうど写植を発注して張り付けて版下を作る従来の印刷から、コンピューターを使ったデジタル印刷への移行期だった。かつてのデザイナーは見本を作るだけであとは図録屋が写植を発注し、版下を作っていたが、若手のデザイナーはコンピューターでそのまま印刷できる原稿を作るようになった。つまり、図録屋がいなくても、デザイナーと印刷会社がいればすべてできるようになった。その安くなった分を著名デザイナーに払った。

協賛企業を探すのが通例になったのも、1990年代ではないだろうか。協賛社は主催と違い、お金は出すが儲けを分配することはない。その見返りに、主催者はチラシやポスターにロゴを入れるのはもちろん、休館日にその企業の特別招待日を設けたり、オープニング・パーティでその会社の代表を紹介したり、会場の入口や出口に協賛社の関連品を展示するなどの機会を提供する。これらは試行錯誤の中から生まれていった。展覧会の収益を確保するために、数百万円でも協賛企業はありがたかった。

協賛社を探すようになって、新聞社もテレビ局も広告部署の営業チームと一緒に動くようになった。新聞広告やテレビスポットをもらっている会社に対して、広告部署の営業担当者と関係なく事業部員が動くことは許されない。それから電通や博報堂などとも一緒に動き始めた。そして2000年以降は、広告会社自体が展覧会企画を持ち込んだり、実行委員会に出資をしたりするようになった。これは同時期に始まった映画の製作委員会方式とかなり似ている。

ちなみに「後援」というのは、お金も出さないし、特に協力もしない。「フランス大使館」や「文化庁」などが「後援」につくが、一種の権威づけに近いかもしれない。

「バーンズ・コレクション展」という分岐点

1994年に国立西洋美術館で107万人を超す入場者を集めた「バーンズ・コレクション展」は、この分岐点に立つのではないだろうか。バーンズ・コレクションとはアメリカのアルバート・C・バーンズが収集したフランス美術の所蔵品を指す。この展覧会の混雑ぶりは新聞各紙や各テレビ局でも何度も取り上げられた。5億円と言われた借用料を払った読売新聞社が、収益を上げることができたことも大きかった。特にルノワールやセザンヌやマティスの収集は量質共にパリのオルセー美術館を上回るとされており、長年遺言により門外不出とされてきたが、バーンズ財団の建物の改装のために、初めて館外（ワシントン、パリ、東京）に貸し出された。

実はこの展覧会はその前に朝日新聞社にオファーがあったものだが、当時の部長は借用料にひるんだと当人から聞いたことがある。この展覧会で多くのマスコミ関係者が「展覧会は儲かる」と思ったに違いない。席数のあるコンサートなどと違って、展覧会は無限に流し込める。そして日本経済新聞社や民放テレビ局の参加が始まった。

ちょうど新聞社やテレビ局の本業での収益構造が壊れ始めていた。新聞各社は活字離れで部数を減らし、その結果広告収入も落ちていた。テレビ局も衛星放送やインターネットの発達で番組スポンサーやスポット広告が減り、放送外収入を求めていた。インターネットや格安航空券の普及などで、海外の美術館や博物館はずいぶん近くなった。

そこで「バーンズ・コレクション展」方式で、海外の一館にドンと借用料を支払って持ってくる「○○美術館展」が普通に定着した。膨大な借用料を払うために、最大の宣伝によって観客を大量動員し、さらにグッズやイヤホンガイドでも収入を得る。その結果として、入場者が50万人を超す大型展が毎年のように出てきたのが平成に起こったことだった。

入場料は当時一般的だった1200円前後から1500円に跳ね上がった。これは読売新聞社が国立西洋美術館と文化庁に特例として認めさせたものと記憶している。その後は１２００〜１３００円に戻ったが、２００５年頃から１５００円が定着した。入場料でも「バーンズ・コレクション展」は平成型のモデルとなった。

わかりやすい展示へ

もちろん平成型の展覧会にはいい面もある。まず、関連の講演会やギャラリー・ツアーなどを頻繁に開くようになったことだ。観客は見るだけでなく、学芸員や研究者による専門的な話を無料で聞くことができる。もちろんこれは、主催者がその告知を展覧会とは別途に新聞などで知らせることができるメリットがある。

イヤホンガイドも今や「標準」になりつつある。現在では内容の原稿まで作る会社も含めて何社も音声ガイド制作会社が存在する。２０００年以降、芸能人にそのナレーションを頼むようになったのも、明らかに芸能事務所と関係の深いテレビ局参入の影響である。

あるいは託児所が設けられることもある。

デジタル技術を使って、代表的な目玉作品を拡大した複製を展示するなど、展覧会のわかりやすさには十分に気を配るようになった。必ず映像で展覧会の解説をするコーナーを作るようになったのも、昭和期にはなかったことだ。解説パネルも大きくなり、説明も格段に増えて見やすくなった。

最近の展覧会は、ＬＥＤ照明を使ったドラマチックな空間作りが特徴だ。かつて蛍光灯で会場内を一様に照らしていた展示とは違い、作品そのものを強調する。今では東京国立博物館が展示デザイナーを職員として置いているから驚きだ。

仏像などの立体物では、３６０度から作品を見ることができる展示も増えた。収蔵する寺院ではこのようにして見ることができない場合もあり、これは「展覧会で見る」ことの明らかな意義だろう。

２００９年に東京国立博物館で95万人を集めた「国宝　阿修羅展」のように、一般にはとっつきにくいとされる仏教彫刻の展覧会に大勢の人々が押しかけたのには、このわかりやすさや劇的な展示効果が大きいと思う。

日本で生まれたプロフェッショナルたち

海外の美術館が「オールド・マスター」と言われるルネサンスから18世紀以前の作品を貸し出すに当たっては、現在では日本にフリーの作品修復家が何人も出てきたことも大きい。

日本の美術館・博物館で作品チェックや修復の専門家がいるのは国立西洋美術館や愛知県立美術館などのみでまだ稀だが、外部に海外で学んだ優秀なフリーの修復家たちがいる。彼らは到着した時の作品状態のチェックから、万一事故が起きた時の応急処置など、すべて心得ているため、海外の学芸員たちも安心してくれる。昔、新聞社勤務の自分もそれらしく作品チェックの真似事をやっていたことを考えると本当に怖くなる。

かつてイタリアのルネサンス期の板に描かれた絵（板絵）は破損しやすいために日本に来ることはまずなかったが、最近では２０１３年に国立西洋美術館で開催された「ラファエロ」展などずいぶん増えたと思う。

平成になって、展覧会に行くことが高尚な趣味ではなく、普通の人々にとって映画や買物に行くような行為になったのではないか。少なくともディズニーランドに行くよりも気軽に足を運べるはずだ。便利な場所にあるし、入場料は映画より少し安い。

２０１８年に東京都美術館で開かれた「ムンク展」や２０１９年の森美術館における「塩田千春展」において、お洒落な若い人々が素直に楽しんでいる様子を見て、私はそう思った。

出版界でも映画界でもそうだが、展覧会の観客の高齢化は少子高齢化の日本において最大の問題である。だからやり方はどうであれ、若い観客を作り出す工夫は常に必要とされている。

第5章　ミュージアムとは何か

美術館も博物館もMuseum

英語やラテン語のMuseumは「美術館」も「博物館」も指す。英語だと美術館はArt MuseumやMuseum of Fine Arts、近代美術館はMuseum of Modern Arts、現代美術館はMuseum of Contemporary Artsだ。同時に欧米には、日本流に言う「美術館」と「博物館」の区別がないのが基本である。

ロンドンの大英博物館The British Museumは古代エジプトのミイラやロゼッタ・ストーンなど「博物館」的なものが中心だが、日本の浮世絵も収蔵しているので、「美術館」の要素もある。パリのルーヴル美術館Le Musée du Louvreには、古代ギリシャのミロのヴィーナスもエジプトのミイラもあるが、ダ・ヴィンチの《モナ・リザ》やフェルメール、クラーナハといった画家たちの「美術」も多い。

ニューヨークのメトロポリタン美術館 The Metropolitan Museum of Art に至っては、エジプトのミイラからバリバリの現代美術に至るまで、古今東西の文明を見せる所蔵作品が揃っている。

ここに行くと、日本語の「美術館」や「博物館」の区別に全く意味がないことに気がつく。つまり人間の文化芸術の歴史を見せるものをすべて収めるのが、ミュージアムである。ところが日本の国・公立の施設では、「博物館」は古いものを収蔵するところ、「美術館」は展示会場という概念が根付いてしまった。

もちろん、イタリアのフィレンツェにあるウフィッツィ美術館 Le Gallerie degli Uffizi やオーストリアのウィーンにあるウィーン美術史美術館 Kunsthistorisches Museum のように日本流に言う「美術館」もあるのだが。

Museum ミュージアムの起源は、古代ギリシャ時代の神殿を指すという。古代のムーサ（詩や音楽を司る女神、ミューズ）の神殿である「ムーセイオン」である（ちなみに国立科学博物館内で展示室を見下ろせるレストランがこの名前）。

中世以降は、権力を持つ者が美術品を蓄える。ローマのヴァチカン宮殿は、内部の装飾画と共にローマ教皇の元に集められた美術品を現在も見ることができる。ドイツではハプスブルク家の君主たちが美術品のみならず、鉱物、動・植物、玩具など世界各地の珍しいものを「驚異の部屋」Wunderkammerという名のもとに収集し、現在ではウィーンやプラハ、マドリッドなどのミュージアムに収められている。イタリアでは貴族たちが屋敷の中にステュディオーロ（Studiolo）と呼ばれる小部屋に絵画や宝飾品を集めた。それを広いスペースに展示して見せようとしたのがメディチ家で、ウフィッツィ美術館となる。

近代的な美術館・博物館としては、１７５９年に医師でコレクターのハンス・スローン卿の死後、古文書、貨幣、動植物や貝殻の標本など7万点の遺贈品を中心に開館した大英博物館が代表格だ。フランスでは、フランス革命後に王家のコレクションが集められて１７９３年に中央美術館という名で開館し、ナポレオン美術館を経て、ルーヴル美術館になった。アメリカでは19世紀後半にはメトロポリタン美術館やボストン美術館が開館している。

大事なことは、これらのミュージアムが王侯貴族や富豪などの所蔵品を収集、展示する場所として生まれたことである。つまり、所蔵品が先にある。

もちろんそれ以前の日本にも、皇族や公家、武家、寺社などが収集した「宝物」がある。聖武天皇の遺品を中心にした奈良の東大寺正倉院はその代表だし、それぞれの寺社の宝物を披露する「御開帳」もある。ただし公的な建築として博物館や美術館ができ、常時一般に公開するのは、欧米に「追いつけ追い越せ」を目指した明治政府の力が必要だった。

「美術館」という名前が最初に使われたのも前述した第1回内国勧業博覧会の時のことで、展示室の一つが美術館と呼ばれた。それが前の章で書いた1926年に開館した「展覧会場」としての東京府美術館につながってゆく。

日本でも富豪が個人の美術館を作る動きはあった。1917年には大倉喜八郎によって大倉集古館が、1930年には大原孫三郎によって大原美術館が作られた。1941年の根津嘉一郎による根津美術館や1952年の石橋正二郎のブリヂストン美術館もそうだが、こうした私立美術館は所蔵品があって作られたもので、規模は別にしてその起源は欧米のミュージアムに近い。

近代美術館の登場

日本で「近代美術館」ができたのは、1951年の神奈川県立近代美術館が最初である。日本における近代美術館は、1929年にできたニューヨーク近代美術館をモデルにしたもので、戦前の戦争画展を受け入れた国立博物館や東京府美術館とは全く異なる戦後の新しい動きとして広がった。

鶴岡八幡宮の近くにあったこの美術館（現在は葉山に本館があり、鎌倉別館は少し移動した）は、美術評論家の土方定一を館長として学芸員を採用し個性的な活動をしたが、会場は狭く企画展が中心であった。その意味では「展覧会場」として生まれた東京府（都）美術館や京都市美術館、大阪市立美術館の伝統を引いていると言えるだろう。その後に生まれる全国の公立の美術館は、学芸員による企画展を中心とした神奈川県立近代美術館（鎌倉にあるので通称「カマキン」）を一つの理想として目指した。

その翌年に作られた、国立近代美術館（中央区京橋、現・東京国立近代美術館）は所蔵品を持ち常設展示もあったが、旧日活本社を利用した建物は手狭だった。それは1969年に現在の千代田区北の丸公園に移転するまで続いた。その後70年代以降、多くの自治体による美術館が作られるが、基本的には自治体の側も観客も展覧会場としての位置づけが主だった。バブル期にできた百貨店の所蔵品のない展示施設が美術館と呼ばれたように、日本では美術館はあくまで企画展が中心だったと言えよう。

美術館の増加と多様化

1951年の神奈川県立近代美術館、翌年の国立近代美術館の後の主な美術館を設立順に書いておく。もちろんすべての美術館は書ききれない。それはおおむね県レベルに始まって、大都市から地方都市や区までに至った。

1952年　ブリヂストン美術館（私立、現・アーティゾン美術館）
1954年　鹿児島市立美術館
1955年　愛知県文化会館美術館（現・愛知県美術館）
1957年　熱海美術館（私立、現・MOA美術館）
1960年　五島美術館（私立）
1961年　サントリー美術館（私立）
1963年　和歌山県立美術館（現・和歌山県立近代美術館）
1966年　出光美術館、山種美術館（共に私立）
1968年　広島県立美術館
1969年　長野県信濃美術館、彫刻の森美術館（私立）

1970年　兵庫県立近代美術館（02年に移転し、兵庫県立美術館）、足立美術館（私立）、愛媛県立美術館（98年に愛媛県美術館）
1972年　栃木県立美術館、岡崎市美術館、上野の森美術館（私立）
1974年　群馬県立近代美術館、北九州市立美術館
1975年　西武美術館（私立、89年にセゾン美術館、99年に閉館）
1976年　熊本県立美術館、東郷青児美術館（私立、現・SOMPO美術館）
1977年　国立国際美術館、福井県立美術館、北海道立近代美術館
1978年　山梨県立美術館、ひろしま美術館（私立）、古代オリエント博物館（私立）
1979年　板橋区立美術館、山口県立美術館、福岡市美術館、原美術館（私立）、新宿・伊勢丹美術館（私立、02年に閉館）
1980年　尾道市立美術館、ナビオ美術館（私立、07年閉館）、太田記念美術館（私立）
1981年　宮城県美術館、渋谷区立松濤美術館、富山県立近代美術館（現・富山県美術館）
1982年　北海道立旭川美術館、三重県立美術館、埼玉県立近代美術館、岐阜県美術館、大阪市立東洋陶磁美術館
1983年　姫路市立美術館、米子市美術館、刈谷市美術館、東京都庭園美術館、佐賀県立美術館、石川県立美術館、下関市立美術館、倉敷市立展示美術館（現・倉敷市立美術館）、大丸ミュージアム梅田（私立）、東京富士美術館（私立）

１９８４年　いわき市立美術館、福島県立美術館、滋賀県立近代美術館、青梅市立美術館、弥生美術館（私立）
１９８５年　福岡県立美術館、練馬区立美術館、新潟市美術館、横浜・そごう美術館（私立）
１９８６年　静岡県立美術館、世田谷美術館、八戸市美術館
１９８７年　目黒区美術館、伊丹市立美術館、町田市立国際版画美術館
１９８８年　川崎市市民ミュージアム、茨城県近代美術館、名古屋市美術館、岡山県立美術館、ふくやま美術館、東京ステーションギャラリー（私立）
１９８９年　広島市現代美術館、横浜美術館、Bunkamura ザ・ミュージアム（私立）
１９９０年　東京都写真美術館（95年に総合開館）、水戸芸術館、徳島県立近代美術館、川村記念美術館（私立、現・ＤＩＣ川村記念美術館）、ワタリウム美術館（私立）
１９９１年　芦屋市立美術博物館、高崎市美術館
１９９２年　郡山市立美術館、釧路市立美術館、東武美術館（私立、01年に閉館）、小田急美術館（私立、67年よりあったグランド・ギャラリーを改装、01年閉館）、静嘉堂文庫美術館（私立）
１９９３年　新潟県立近代美術館、高知県立美術館、宮内庁三の丸尚蔵館、千葉・そごう美術館（私立、01年に閉館）
１９９４年　秋田県立近代美術館、高岡市美術館（旧・高岡市立美術館）、足利市立美術館、サ

ントリー・ミュージアム［天保山］（私立、10年に大阪市に譲渡）
1995年　東京都現代美術館、宮崎県立美術館、千葉市美術館、豊田市美術館
1997年　宇都宮美術館、MIHO MUSEUM（私立）、NTTインターコミュニケーション・センター（私立）
1998年　茅ヶ崎市美術館、東京藝術大学大学美術館、細見美術館（私立）
1999年　島根県立美術館、東京オペラシティ・アートギャラリー（私立）、大分市美術館、名古屋ボストン美術館（18年閉館）
2000年　府中市美術館、印刷博物館（私立）
2001年　せんだいメディアテーク、岩手県立美術館、三鷹の森ジブリ美術館（私立）
2002年　ポーラ美術館（私立）、熊本市現代美術館、松本市美術館、川越市立美術館
2003年　森美術館（私立）、山口情報芸術センター、八王子市夢美術館
2004年　金沢21世紀美術館、地中美術館（私立）
2005年　長崎県美術館、三井記念美術館（私立）
2006年　青森県立美術館
2007年　国立新美術館、横須賀美術館、沖縄県立博物館・美術館、21_21 DESIGN SIGHT
2008年　十和田市現代美術館
2010年　三菱一号館美術館（私立）

２０１１年　東洋文庫ミュージアム（私立）
２０１３年　アーツ前橋
２０１４年　あべのハルカス美術館（私立）
〈国公立でない施設は、財団法人などの運営によるものもすべて「私立」と表記した〉

美術館の変容

この一覧は博物館を省いており、もちろんすべての美術館を網羅しきれていない。収蔵品を持たない展示だけの美術館も、自治体に登録していない私立の博物館相当施設もある。個人的に仕事をした、行ったことがある、評判を聞いたなどから任意に選んだものだが、一般の方が展覧会を見に行くような美術館はおおむね入っていると思う。

この一覧から、次の６点のことが言えるだろう。

（1）１９７０年代から90年代半ばにかけて公立美術館の建設ラッシュがあった。それらの美術館のほとんどは大きな企画展示室、小さな常設展示室、一般に貸し出しをする県（市・区）民ギャラリーに分かれる。

（2）79年の板橋区立美術館を皮切りに、東京では80年代に渋谷、練馬、世田谷、目黒に区立美術館ができる。

（３）89年の広島市現代美術館以降、東京都現代美術館、森美術館のように現代美術を主として扱う美術館が出てきた。

（４）最近の傾向は、金沢21世紀美術館や十和田市現代美術館（青森県十和田市）のように、立体作品の常設で楽しませるタイプ、せんだいメディアテーク（仙台市）や山口情報芸術センター（山口市）のような情報を中心とした脱美術館などだろう。

（５）近年は東京都現代美術館（７千平米）、森美術館（３千平米、森アーツセンターギャラリーは別に千平米）、国立新美術館（１万４千平米）など展示面積の広い美術館が増えたが、欧米の大美術館には及ぶべくもない。

（６）芦屋市立美術博物館（兵庫県）や川崎市市民ミュージアムでは、美術館が市の財政を圧迫する金食い虫であることが問題化された。多くの公立美術館で指定管理者制度が導入されたが、根本的な解決には至っていない。

「ハコもの行政」という言葉があるが、70年代から平成にかけて日本中にボコボコ建ててしまった美術館（のみならず同じくらい博物館があり、公共ホールがある）の多くは、最近の数年間で休館し、改装、改築をしている。だが、そのほとんどはそれまでと同じ形だ。さて、これから少子高齢化社会へと向かう日本で、このままでいいのだろうか。

百貨店の美術館

百貨店の美術館についても触れておきたい。日本で公立美術館が増える70年代までは、新聞社主催で百貨店で開かれる展覧会が一般の美術ファンにとって最も馴染みのある会場だった。

例えば平山郁夫や川合玉堂などの日本画の展覧会は百貨店でよく開かれており、主催は「朝日新聞社」や「日本経済新聞社」などメディア単独だ。

では百貨店は場所を貸しているだけかというと、もちろん違う。1階下の「美術ギャラリー」で関連する小品や版画を販売している。展覧会は新聞社の「文化」催事なので作品は売らないが、百貨店は当然ながら少し場所を変えて販売にいそしむ。

百貨店の催事場は、多くは最上階に近い階にある。じつはここで客たちが実際に入場料を払う有料率は1、2割程度しかない。大半は、営業担当が顧客に大量に配った招待券を使っている（美術好きは富裕層に多い）。もちろんそれは想定内のことで、百貨店にとって美術展はあくまで顧客に百貨店まで足を運んでもらうための手段なのだ。展示を見たお客たちは、美術ギャラリーのみならず、エレベーターやエスカレーターで階下に降りながら衣服や食料品などを買う。これには「シャワー効果」と言う名前がついている。

一方で70年代から90年代にかけて、百貨店に「美術館」が続々とできた。75年にできた西武美術館（のちのセゾン美術館）のみは、「ヨーゼフ・ボイス展」や「芸術と革命展」など現代美術を中心にしたかなり渋い企画展を開催したが、その後にできた新宿・伊勢丹美術館、小田急美術館、東武美術館、新宿・三越美術館、Bunkamura ザ・ミュージアム、東京・大丸ミュージアム、千葉・そごう美術館などは、印象派などの近代西洋美術や画壇の日本画など、わかりやすい展覧会が多かった。

その中で学芸員がいたのは西武美術館、東武美術館、Bunkamura ザ・ミュージアムくらいだが、今や Bunkamura ザ・ミュージアムを除くとすべてなくなってしまった。

ある意味でバブル期のあだ花のような存在だったが、これらの美術館は当然ながら都心の最も便利なところにあったたし、百貨店と同じく夜7時や8時まで開いていた。日本における美術の普及において、大きな役割を果たしたのではないか。ところが公立の美術館は必ずしもそうではない。それらは地域振興の意味もあって、あえて不便な場所に作られたことも多い。

東京都現代美術館や板橋区立美術館や葉山の神奈川県立近代美術館はとても便利とは言い難い場所にある。川崎市市民ミュージアムや世田谷美術館は公園のそばだが、駅から歩くには遠すぎる。これらの美術館は入場者数が少なくて苦しんでいるが、そもそも観客が行きにくい場所に作った行政の責任は重大である。さらに最終入場が4時半で5時閉館といったお役所仕事の時間帯では観客の動員は難しい。

第6章　学芸員の仕事と「画壇」の存在

カギを握るのは学芸員

日本のほとんどの観客にとって、美術館や博物館は「特別展」「企画展」を見るためにある。それは大半の館では所蔵品を見せる常設展示室がないか小さいためだが、大きな常設展示室を持つ東京国立博物館でも同じというのは前述した。

正面にあって所蔵品を見せる本館や右側の東洋館、あるいは左側の法隆寺宝物館はガラガラで、みんな左奥の特別展を見せる平成館へ歩いてゆく。確かに中に入って正面掲示板の案内を見ても、正面にある本館が中心にはとても見えない。これはこの館が長年特別展を見せることを大きな目的と考えてきたからではないか。

第3章でも述べたが、観光立国が叫ばれる今日、日本の美術館・博物館にも観光客が常設の目玉を見に行くような環境づくりが必要ではないか。

特に豊富な収蔵作品を持つ東京国立博物館、京都国立博物館、奈良国立博物館、東京国立近代美術館、京都国立近代美術館、国立国際美術館、国立西洋美術館などの国立館は、あくまで常設を中心にして、特別展を減らすか思い切ってなくす方がいいのではないか。

近年、東京国立博物館は、正月に長谷川等伯の安土桃山時代の国宝《松林図屛風》を見せ、東京国立近代美術館は春になると川合玉堂の重要文化財《行く春》を展示する。日本美術は紙を使った作品が多いので保存の観点から年中見せるわけにはいかないが、こうした試みが定着して、もっともっと所蔵作品に焦点が当たるようになればと思う。

そのカギを握る存在が、学芸員にほかならない。

こう書くと、「一番のガンは文化学芸員」とか「学芸員は観光マインドを持たないと」と2017年に述べて物議をかもした山本幸三元地方創生担当大臣を思わせるが、もちろんそうではない。本章では彼が批判した美術館・博物館の学芸員（国立では研究員）について正面から論じたいと思う。合わせて同じく美術館・博物館が無視できない存在である「画壇」についても触れたい。

姿が見えない学芸員

学芸員は、一般の観客にはほとんどその姿が見えない存在である。展覧会のチケットを売るわけでも、案内をするわけでもない。念のために言っておくが、展覧会場で監視をしている人々は学芸員ではない。

欧米のミュージアムだと展覧会の入口に監修者や担当学芸員の名前が書かれていたり、カタログの表紙や背文字に名前があったりするが、日本にはその習慣はない。熱心な観客なら、「ギャラリー・トーク」として土日に時おり担当学芸員が作品解説をするのを知っているくらいだろう。

もちろん彼らの仕事は山本元大臣が勘違いしているように、観光の推進ではない。美術館を含む博物館を規定する法律である「博物館法」の第4条の前半にはこう書かれている。

第4条　博物館に、館長を置く。

2　館長は、館務を掌理し、所属職員を監督して、博物館の任務の達成に努める。

3　博物館に、専門的職員として学芸員を置く。

4　学芸員は、博物館資料の収集、保管、展示及び調査研究その他これと関連する事業についての専門的事項をつかさどる。

学芸員は専門職であり、一番の仕事は「博物館資料の収集、保管、展示及び調査研究」である。つまりその館に合う作品を選んで購入または寄贈、寄託などの形で収集し、それらを適切な環境で保管し、最良の条件のもとで展示して一般に見せる、あるいはそれについての調査研究をすることなのだ。

本来の仕事

英語では学芸員をKeeperまたはCurator、仏語ではConservateurと呼ぶが、いずれも「番人、保管する人」である。我々がイメージしがちな「外から作品を借りてきて展覧会を企画する仕事」は、あえて言えば「その他これと関連する事業についての専門的事項」にすぎない。それは補足的な仕事と考えた方がいい。

国・公・私立を問わず、全国の主要な394の美術館・博物館が加盟する「全国美術館会議」では、ホームページに「美術館の原則」を掲げている。そのなかで学芸員に関わるのは以下の３項目である。

6　美術館は、体系的にコレクションを形成し、良好な状態で保存して次世代に引き継ぐ。

7　美術館は、調査研究に努め、その成果の公表によって社会から信用を得る。

8　美術館は、展示公開や教育普及などを通じ、広く人々とともに新たな価値を創造する。

一般の観客に見えるのは８の部分で、コレクションの体系的な形成と保存も調査研究もなかなか見えてこない。展示公開や教育普及も、普通に読めばコレクションの公開とそれに伴うチラシ、ポスター、カタログなどの作成と講演などであって、企画展はその次の話である。

「雑芸員」ではいけない

観客が理解すべきは、学芸員の最大の仕事は収蔵するコレクションの形成とその保存及び展示であることである。それらは狭い常設展示室からはなかなか見えてこないが、大げさに言えば人類の文化芸術的遺産の保存である。本来ならばその活動は、研究と教育を二本柱にする大学教員に比すべきだし、その使命はある意味で大学教員以上に社会にとって重要である。

ところがほとんどの美術館・博物館では、学芸員は観客を呼べる企画展を順番で担当させられる。それらは既に書いたようにマスコミから来る企画も多い。そればかりか、広報、展示デザイン、作品チェック、協賛集めなどまで担当させられる。欧米のミュージアムではそれらの専門の職員がいる。日本の美術館で協賛企業の担当者が数名いるのは森美術館くらいではないか。

日本の学芸員と話すと、彼らはよく自嘲気味に「雑芸員」という言葉を口にする。それほど日本の美術館・博物館には人員も予算も少なく、ハコを作ったはいいが、あとは学芸員の自助努力という苦難の道が待っている。山本幸三議員が言ったように、観光振興までさせられたらたまらない。学芸員が途中で美術館を辞めて大学教授になるケースが多いのも無理はない。

館長という大問題

博物館法に戻ると、学芸員は「専門的職員」と書かれているが、館長はそうとは書かれていない。これがまた日本の美術館・博物館の大きな問題である。

国立館では〝頂点〟に立つ東京国立博物館を始めとして、東京国立近代美術館や国立科学博物館の館長は通常文科省の天下りポストである。学芸員、研究員、研究者出身の館長は、国立西洋美術館、京都国立近代美術館、国立国際美術館、京都国立博物館などだ。公立館となると、学芸員出身の館長は極めて少ない。さっと思いつくところでは、東京都庭園美術館、世田谷美術館、横浜美術館、府中市美術館、愛知県美術館、広島市現代美術館などで、それ以外の館の多くが自治体の天下りポストである。

対して、外国の有名ミュージアムの館長はだいたい学芸員か大学教授出身の専門家である。だから彼らが日本に来ても、日本の館長とは全く話が通じないことは、私も個人的に何度も経験した。

官庁や自治体から来た館長は、コレクションの形成や学芸員の調査研究とその結果としてのハイレベルの展覧会よりも、観客を動員し、収益が上がることのみを考える。だから学芸員たちと衝突し、観客数が期待できてリスクの少ない新聞社の企画を引き受けようとすることが多い。

もし本当に美術館・博物館を日本の観光振興に役立てようと思うならば、自治体の枠を超えた美術館・博物館の抜本的な組み直しが必要だろう。

ルーヴル美術館に大きな地下があって一部は地下商店街につながっているように、上野公園に巨大な地下空間を作り、美術館・博物館をつないだらどうだろうか。あるいは現在の有楽町の東京国際フォーラムの場所に、都立の美術館を集約したらどうだろうか。または、区立美術館の所蔵品はすべて都に集約したらどうだろうか。ボコボコ作った不便な場所の美術館は本当にすべて必要なのか。それらを足せば相当のコレクションになり、海外の美術館とのお金を介さない貸し借りも可能になるだろう。

これらについては、筆者の考えも合わせて最終章で述べたいと思う。

「画壇」のパワー

日本の美術館・博物館を考えるうえで、いわゆる「画壇」にも少し触れておきたい。「画壇」とは日展を頂点に、院展、二科会、二紀会、春陽会などの戦前からある美術団体が形成する日本特有の美術業界である。これらはおおむね日本画、洋画、彫刻、工芸、書の5分野からなる。

国立新美術館や東京都美術館に行けば、年配の芸術家風の集団をよく見かける。先生らしき老人の周りを中年の男女が取り巻いている光景があちこちにある。なぜこれが美術館を考えるうえで重要かと言うと、地方の公立美術館には大きな力を持っている場合が多いからである。

日展入口（2019年）

東京では右記の二館が画壇の主な受け皿になっているが、地方では公立美術館の県民ギャラリーや市民ギャラリーを有料で借りて、これらの美術団体が自分たちの展覧会を開催する。ここには学芸員は、普通はかかわらない。日展の展示を見ればわかるが、普通の企画展や常設展と違って、絵や彫刻が所狭しと展示されている。

ではこれらの美術団体の何が問題なのか。2013年10月に「朝日新聞」が一面で日展の不祥事を報じたことを覚えている人も多いだろう。書の一分野である「篆刻」(石材などに文字を彫る)において、有力会派の入選数を事前に割り振っていることが明らかになったものだ。

日展のような美術団体は、いわゆる公募展によって成り立っており、出品料を払えば誰でも応募できる。入選すれば作品が展示され、入選が重なると準会員になり、さらに正会員になり理事などになるという仕組みだ。報道は理事クラスの重鎮たちが、自分の教え子を入選させる枠を話し合って割り振っていたというもの。その後の報道でさらにそれが工芸や洋画分野でも広がっていることがわかった。日展は事実であることを認めて、理事などを入れ替えて改組した。

ここでわかるのは、理事や審査員たちがそれぞれ教え子を持ち、いわば政治家のように派閥を作っているということだ。茶道や華道など習い事の伝統のある日本ならではの制度で、地方の有力理事や会員は、地元の政治家とも結びつきが深い。まさに「画壇」と呼ばれるゆえんだ。

彼らは自分が住む自治体の美術館で、東京から来た学芸員や館長が難しい現代美術の展覧会を開くことには強い疑問を持っている。自分たちの作品を展示すべきというのだ。

彼らの政治力で中学や高校の美術教員に異動になった学芸員や辞めさせられた館長の話は、80年代や90年代にはよく耳にした。

日展は、戦前は政府が主催した「官展」で「文展（文部省美術展覧会）」を起源とする。前に述べたように文展以外にも明治から大正にかけて多くの美術団体が作られ、彼らに展示会場を貸し出すために東京府美術館が作られた（第4章）。歴史的には明治以降1945年までの重要な美術作家の大半はこれらの美術団体から生まれている。

ナショナル・ギャラリー構想

しかし戦後はそのような美術団体は、急激に変化した世界の美術の流れからかけ離れてしまった。ただし2007年に国立新美術館が設立されたのには、これらの団体が大きく関わっている。

90年代半ばに忽然と「ナショナル・ギャラリー構想」が立ち上がった。文部省が予算要求をしていないのに、平山郁夫氏などの画壇の有力者が政治家に働きかけたためにいきなり準備予算がついたと、当時関係者の間では話題になった。

「ナショナル・ギャラリー」の言葉の由来は、普通に考えれば日本を代表するミュージアムといったところだろうが、実のところはほとんど噴飯ものである。通常、日本の美術作家が自前で展覧会を開く時は画廊＝ギャラリーを借りる。画壇の画家たちはロンドンにもワシントンにもナショナル・ギャラリーがあるのに、日本に国立のギャラリーがないのはおかしいと述べた。つまり、国立の貸し会場を作るべきだと主張した。

これは二重に間違っていた。そもそもロンドンやワシントンのナショナル・ギャラリーは、数多くの著名な所蔵作品を持ち、多くの学芸員のいる世界でも有数の大美術館である。そのうえ英語のナショナル National は必ずしも「国立」を意味しないし、ギャラリー Gallery は貸し画廊を意味しない。

さすがに「ナショナル・ギャラリー」構想が動き出し、識者の委員会ができると、この呼び名はおかしいということになった。結局どうなったか。

日本語では国立新美術館、英語は The National Art Center, Tokyo ＝（東京ナショナル・アートセンター）、内向きと外向きの名前を変えた苦渋の名称だ。こうして国立の貸し会場が誕生することになったのだ。

もちろん、これらの画壇のトップクラスの美術作家は国から年金の出る芸術院会員などになるし、その作品には国内では高値が付くが、海外では全く通用しない。例えばべネチア・ビエンナーレという2年に1度の現代美術展の日本館に日本を代表して展示されるのは、いわゆる「現代美術」の作家であり、画壇から出ることはありえない。

画壇の作品は、刻々と変化してゆく世界の現代美術の流れから見たら、技法も内容も保守的なために評価の対象にならない。あくまで世界と向き合って自分の道を切り開く現代作家のみが評価される世界である。

ちなみに日本の美術系大学は今でも日本画科や洋画科に分かれているが、その区別自体が国際的には何の意味もない。

じつは現在の若い美術作家でも、美術系大学を出た後も創作活動を続ける場合、「画壇」系か「現代美術」系かに分かれることになる。地方の中学や高校の美術教員になる場合は、「画壇」系に属する場合が多いようだから、いつまでもこの二重構造は続くだろう。

もちろん、民間に美術団体があって、自分で金を払ってそこに所属し、出品をするのは別に誰に迷惑をかけるわけでもなく、何ら悪いことではない。ただし、そのために国立や公立の施設が必要なのかは疑問である。さらに政治家のように派閥を生む構造は、個人の創作活動を基本とするはずの美術とは遠いものと言わざるをえない。

マスコミの大型展と画壇の公募展への貸し会場のために生まれた国立新美術館は、ある意味で日本独自のゆがんだ美術界の象徴である。黒川紀章の建築を見に来る外国人も多いが、彼らはどう思うのだろうか。

あくまで日本式の美術と美術館でいいのかどうか。画壇が今後も存続を続けるかどうかは、今後の日本の美術館の未来に影響を及ぼすだろう。もちろんそれ以上に学芸員たちが一時的な企画展にばかり力を注ぐことなく、ミュージアムの本来の仕事に目覚めていくかどうかが重要なのは言うまでもない。

第7章　本当に足を運ぶべき美術館はどこか

最も見逃せないのは東京国立近代美術館

筆者が美術の仕事から離れて11年がたった。大学で映画を教え、映画について書くことを主な仕事とし、個人の趣味として展覧会を見ている。この章はあくまでその個人的な体験に基づいて、見るべき美術館やよかった展覧会について述べてみたい。

私にとって、すべての企画展を必ず見ておきたいと思う美術館は、いま一館しかない。それは竹橋の東京国立近代美術館である。私自身が大学生の時にフランスに留学しルネサンス以降の西洋近代美術に関心を持ち、その後近現代の日本を含む美術も見るようになったから、もともとこの美術館の守備範囲と重なる。それを差し引いてもここはこの10年間、学芸員が独自に企画した展覧会の水準が極めて高いと思った。

東京国立近代美術館でこの10年で私に強い印象を残した展覧会を挙げてみよう。もちろん、この館のすべての企画展を見たわけではない。

２０１０年「ウィリアム・ケントリッジ　歩きながら歴史を考える　そしてドローイングは動き始めた……」「上村松園展」

２０１１年「イケムラレイコ　うつりゆくもの」「パウル・クレー　おわらないアトリエ」

２０１２年「生誕百年　ジャクソン・ポロック展」「吉川霊華展　近代にうまれた線の探究者」

２０１３年「フランシス・ベーコン展」「竹内栖鳳展　近代日本画の巨人」

２０１４年「あなたの肖像　工藤哲巳回顧展」「高松次郎ミステリーズ」「菱田春草展」

２０１５年「No Museum, No Life?―これからの美術館事典　国立美術館コレクションによる展覧会」

２０１６年「endless 山田正亮の絵画」

２０１８年「没後40年　熊谷守一　生きるよろこび」「アジアにめざめたら：アートが変わる、世界が変わる　１９６０―１９９０年代」

２０１９年「福沢一郎展　このどうしようもない世界を笑いとばせ」

こう並べてみると、「No Museum, No Life?」と「アジアにめざめたら」以外は、すべて個展である。１か所から借りる「〇〇美術館展」と違って、個展を企画するのは簡単ではないことは前述した。作品は国内のみならず、海外にあることもある。フランシス・ベーコンのように作品が世界各地にある場合は、各美術館との交渉が必要になるので、準備には本当に何年もかかっただろう。そのうえベーコンでは、苦労して海外から借りてもルノワールと違って大量動員ができないのは最初からわかっている。

工藤哲巳のような日本人作家でもパリの滞在が長い作家になると、当然ながら作品はフランスの美術館からも借りる必要がある。ウィリアム・ケントリッジやイケムラレイコのように、生きている作家も大変だ。展示する作品のリストも作品に応じた展示方法もポスターなどの印刷物のデザインも、すべて作家本人との話し合いが必要だからだ。

個展がいいのは、新しい作家を発見したり、これまで知っていた作家の違う面を見つけたりできることだ。明治から昭和初年にかけて活躍した日本画家の吉川霊華は、実は私は名前も知らなかった。女性かと思ったら男性だったが、その繊細な線が描く古典的な人物や風景に完全に魅了されてしまった。福沢一郎展では、シュルレアリスムの画家だと思っていたら戦後の二転三転した変遷に度肝を抜かれてしまった。

ジャクソン・ポロック展は、メキシコ絵画のような初期から、赤や黄や黒の塗料を流し込む成熟期、だんだんと色彩を失ってゆく晩年に至る変遷をまさに息を飲むようにして見た。

ウィリアム・ケントリッジ展は、暗い空間の前後左右に浮かび上がる映像に見入った。映画を専門とする私は、実は現代美術の映像作品には惹かれないことが多い。しかしケントリッジの墨絵のようなアニメには、映画がもはや失ってしまった映像の原初的な力を感じた。

建築家が展示デザインを

この美術館の展覧会は内容と同時に展示の方法が日本一すばらしい。ケントリッジ展もそうだが、「No Museum, No Life?」展でもそれを強く感じた。美術館の壁にある絵がかかっているのだが、実は額だけで真ん中は壁がくり抜いてあって、別の展示室が見えるのもあった。この展覧会はAからZまで美術のキーワードを36個選び、それにふさわしい作品を国立美術館５館の所蔵作品のみから見せるもので、知性とユーモアを楽しんだ。

このような展覧会で展示デザインにわざわざ外部の建築家を起用しているのも、日本の美術館では珍しい。

国際交流基金に勤務していた頃に海外の美術館で仕事をすると、大きな美術館では職員として建築家が内部にいたのを思い出す。日本ではそのシステムはないので、通常は東京スタデオなどの展示施工会社に頼む。しかし手慣れた施工会社でなく、外部の建築家に依頼すると、はっきりとほかとは違う展示デザインになる。またこの館は、各展覧会のポスターなど広報物のグラフィックもセンスが光る。

２００２年に全面改装してから、常設展示室が広くなり快適さが増した。約４５００平米の展示室のうち１階の企画展示室が１３００平米で、あとは３千平米以上の常設展示室が２階から４階まで広がる。４階には「ハイライト」として代表的な日本の近代美術を並べているので、日本の近代美術史の代表作を十数点で知りたいという美術にくわしくない観客にも便利だろう。

いつも明治から現代までを日本を中心に欧米の作品も交えて展示していて、外国人にもわかりやすいと思う。実は、いつ行っても日本の近代美術史を順を追ってきちんと見せてくれる美術館は、日本ではここしかない。そのうえ、「キャンパスメンバーズ」という制度で契約した大学の学生や教職員は、常設展はいつでも無料になる。それもあって私が自分の学生に最も推奨する美術館だ。

企画展示室では、日本の明治期から現代までの美術作家を見せる。日本画のこともあるが、それは「画壇」を超えてあくまで世界に通用するレベルの作家のみである。時々海外の現存作家も紹介するので、ここを見ていたら日本を中心に世界の現代美術の動きがわかる。２００７年に国立新美術館ができる前も注目すべき展覧会はあったが、国立新美術館ができてからは大量動員の印象派展などがあちらに行くことになり、結果としてまさに研究員の知性と感性だけが勝負の企画展が並ぶようになった。

やっぱり国立西洋美術館

時々、ぜひとも行きたくなる企画展を開催する美術館がある。私にとってそれは国立西洋美術館、東京国立博物館、東京藝術大学大学美術館、三菱一号館美術館、サントリー美術館、東京都現代美術館などだ。

国立西洋美術館は、既に述べたように松方幸次郎の旧蔵美術品が日本に返還された際に、それらを見せる美術館として1959年にル・コルビュジェの設計により作られたものである。西洋だけを対象とした国立美術館が日本に必要なのか、あるいはほかの国にもあるのかはわからないが、これを作るのがフランスからの返還の条件だった。

最初は国立近代美術館や神奈川県立近代美術館と同じく常設展会場がなかったために、企画展を開催する時は所蔵作品は見せていなかったようだ。1979年にようやく奥に新館ができて主に常設展の会場となった。本館で中世から20世紀までの所蔵作品を網羅的に見せることができるようになったのは、1997年末に前庭部分の地下2階に企画展示室ができて、マスコミとの共催展が基本的にそこで開催されるようになってからである。それまでの新館の常設会場だけでは何世紀もの西洋美術の流れを見せる余裕がなかった。

この美術館はかつては東京国立博物館と共に、新聞社が大型の企画展を持ち込む会場だった。第4章で見た通り、64年の「ミロのビーナス特別公開」で83万人を集めたのを始めとして、国立新美術館ができるまでは、50万人を超す展覧会をいくつも開催してきた。

個人的にもかつては最も注目した美術館だった。自分が展覧会の仕事をするようになる前からよく通った。最初に見たのは1981年の「エミール・ノルデ展」。86年の「ターナー展」と「エル・グレコ展」も記憶にある。国際交流基金で仕事を始めて先輩が関わっていたのが1988年に47万人をあつめた「ジャポニスム展」で、この時に読売新聞社が大きな力を持っていることを知った。

朝日新聞社で働き始めた翌年の1994年に読売新聞社主催の「バーンズ・コレクション展」が開かれて107万人が訪れたが、私はその次の11万人しか入らなかった「アーヘン市立ズエルモント＝ルートヴィヒ美術館所蔵　聖なるかたち：後期ゴシックの木彫と板絵」を担当したので、何百メートルも行列のできた「バーンズ・コレクション展」は打ち合わせの際に何度も訪れていた。「聖なるかたち」展の後は再び読売新聞社主催の「1874年―パリ『第一回印象派展』とその時代」で48万人集めたので、ずいぶん寂しい思いをした。

国立西洋美術館の企画展は、海外からの借用が多いため、輸送費も保険料も高額になる。2011年からは欧米にならって展覧会に政府による美術品補償制度（保険料は大部分免除され、事故の際は政府が払う）ができたが、その適用は国立館を中心に年にだいたい2本。そのうえ、「バーンズ・コレクション展」以降は、前述したように海外の美術館に新聞社やテレビ局が億単位の借用料を払うことが多くなった。かつては年に一度はマスコミが参加しない美術館単独の自主企画展を開催していたが、それはあまり経費がかからない素描や版画展だった。例えば1995年の「ゴータ市美術館所蔵作品による　宗教改革時代のドイツ木版画」のような企画である。

しかし2001年には新館の一部に版画素描展示室ができて、美術館の自主企画がそこで開催されるようになった。だから2019年2月に開催された「林忠正―ジャポニスムを支えたパリの美術商」のようなこの美術館ならではの研究員主体の企画は、実際には版画や素描はほとんどなくても、この展示室で開催される。

この10年ほどで気になった展覧会は、2013年の「ラファエロ」、2016年「日伊国交樹立150周年記念　カラヴァッジョ展」「クラーナハ展―500年後の誘惑」、2017年「アルチンボルド展」、2018年「ルーベンス展―バロックの誕生」あたり。考えてみたら、すべて18世紀以前の「オールド・マスター」と呼ばれる画家の個展ばかり。かつてはなかなか日本での開催が難しかった画家たちである。これらは印象派などに比べて動員が難しく、50万人をようやく超したのは「ラファエロ」のみである。

やはり2007年に国立新美術館ができたことが大きい。日本人に一番人気のある、モネ、ルノワール、ゴッホ、セザンヌ、ボナール、モディリアーニ、ピカソ、ダリ、マグリット、ミュシャ、ジャコメティなどのフランスを中心とした19世紀後半から20世紀前半の個展と「ルーヴル美術館展」などの「〇〇美術館展」の多くがそこで開催されたのだから。あるいは少し古いが、1995年に東京都現代美術館ができて、東京都美術館が「貸館」状態になって、マスコミ主導の大量動員の展覧会を受け入れるのが定着したことも影響を与えた。

これまで、ラファエロのようなオールド・マスターの作品はなかなか日本に貸し出してくれなかった。特にそれが豊富なイタリアの画家の展覧会は日本では難しかったが、イタリアの美術館もフランスのように日本からの資金が欲しいことや、この美術館の立派な施設と研究員の質の高さによって、それが可能になった。特に欧米のいくつもの美術館から借用する必要のある個展は難易度が高いが、外国の監修者とこの美術館の研究員ががっちり手を組んで、それが実現するようになったのがこの10年ではないだろうか。

また、本館と新館の両方合わせて3千平米強の空間で常設展示が見られるため、ようやく美術館らしくなった。しかし日本の近代を中心にした東京国立近代美術館は扱う範囲が狭いために3千平米でも十分にわかりやすいのに比べると、同じ大きさで西洋の中世から20世紀までを見せるのは難しい。そのうえ、西洋美術は高価なのでここの所蔵作品が傑作揃いというわけにはいかない。常設展を見ても松方コレクションのモネなどが圧倒的な存在感を誇る19世紀後半を除くと、満足度はいまひとつか。

企画展はマスコミの資金援助をもとにしたものが多く、研究員主体のものは版画素描室の展示を除くと多くないように見える。かつては日本では見られなかったオールド・マスターの個展が見られるのはありがたいが、この美術館の研究員はもっともっと冒険をして欲しいと個人的には思っている。

藝大大学美術館の企画力

東京藝術大学（上野）構内にある東京藝術大学大学美術館は、1999年に新館ができて大きく変わった。それ以前にもあった芸術資料館の存在が一般に知られるようになったのだ。豊富な所蔵作品を見せると同時に、日本テレビ、読売新聞社と共催の「ルーヴル美術館展─古代ギリシア芸術・神々の遺産─」（2006年）のような大量動員型の展覧会も開催するようになる。

東京藝術大学大学美術館

しかし段々とこの美術館独特の企画展も出てきた。個人的には、なんといっても２０１３年の「夏目漱石の美術世界展」に度肝を抜かれた。これは通常考えるような「文学展」では全くなかった。宮沢賢治や太宰治のような人気作家をテーマに据えた展覧会は、本人が持っていたペンや机、衣服、手紙、日記、自筆原稿、初版本そして写真などが主な展示物になる。それでは見応えがないから、文章を大きくパネルで見せたり、写真を引き伸ばしたり。

ところがこの「夏目漱石の美術世界展」は、漱石がロンドン留学中に見た20世紀初頭のイギリス絵画に始まって、幼少期から見た日本の古美術、小説の中に出てくる絵画、そして美術評論で論じた作品や、親交のあった画家の作品が並んでいた。

つまり、漱石が美術というものをどう見たか、その脳内にある美術への考え方を具体的に作品で見せるような展示であった。
　この美術館は長年教えた教授の退官記念展などもあるので企画展をすべて見ているわけではないが、ほかにも以下の展覧会が特に心に残った。

２０１２年「近代洋画の開拓者　高橋由一」
２０１５年「うらめしや〜、冥途のみやげ展―全生庵・三遊亭圓朝　幽霊画コレクションを中心に―」
「ボストン美術館×東京藝術大学　ダブル・インパクト　明治ニッポンの美」
２０１７年「雪村―奇想の誕生―」

　もちろんここは、東京国立近代美術館や国立西洋美術館ほど展示空間は美しくないし、会場は狭く常設展示室もない。しかし「夏目漱石の美術世界展」を代表に、時おり考えに考えたコンセプトで迫ってくる。「高橋由一」展や「ダブル・インパクト」展を見ると、東京藝術大学という明治期にできた日本最初の美術大学の歴史が重なって見える。

東京藝大卒業生の卒業制作や明治期の作品を多数所蔵していることも強みで、横山大観や菱田春草の一期、二期生から岡本太郎、そして村上隆まで有名作家の卒業制作が揃う。

最近はマスコミとの共催展が少なくなり、共催展でも美術館の主導が目立つのもいい。3階と地下の4つの展示室を、展覧会の規模に合わせてうまく使っている。常設展会場はないため、最近は年に一度「藝大コレクション展」として3万点に及ぶ所蔵作品をテーマごとに紹介している。藝大生の作品など内部向けの展覧会は主に手前の陳列館を使っているのもうまい。

ここで展覧会の企画を担当しているのは「学芸員」ではなく、大学なので「教授」や「准教授」の扱いである。私が好きだった「高橋由一」展や「夏目漱石の美術世界展」を担当したのは古田亮准教授で、東京国立博物館や東京国立近代美術館での研究員を経て移ってきた。

東京国立博物館にも少し触れておきたい。ここは日本一の広さと所蔵品を持つミュージアムだし、研究員の数も多く（2018年で55人！）、集客力もある。特に1999

年に平成館ができてからは、常設展示室が本館だけで６５００平米強となり、古代から明治初期までの日本美術をたっぷり見ることができる。企画展も昔から集客力ナンバーワンを誇っているために費用のかかるマスコミとの共催展も多い。企画展会場も平成館２階の４室を合わせたら４千平米を超す。

ここで見て感動した展覧会は数限りないが、あえていくつかを挙げると、２００８年「尾形光琳生誕３５０周年記念　大琳派展―継承と変奏―」、２００９年「興福寺創建１３００年記念『国宝　阿修羅展』」、２０１０年「没後４００年　特別展　長谷川等伯」、２０１７年「運慶」、２０１８年「縄文―１万年の美の鼓動」あたり。

この博物館の問題は、平成館ができたことで、大半の観客が平成館のみに流れるようになったことではないか。もっともっと本館のすばらしい所蔵品を見せるような工夫が必要なのではないかと思う。東洋館や法隆寺宝物館に至ってはほとんど観客がいない状態だから。

三菱一号館美術館の人脈、サントリー美術館のコレクション

三菱一号館美術館とサントリー美術館は私立の美術館で常設展示室を持たないが、企

画展はかなり充実している。２０１０年にできた三菱一号館美術館は三菱地所が運営する美術館で、建物は明治時代の三菱一号館の建築を再現している。ここで企画されるのは、この建物と同じ時代の19世紀後半から20世紀前半の美術展が多いが、ルノワールやモネやゴッホのような国立新美術館や東京都美術館で開かれる個展とは一線を画し、より渋い路線を打ち出している。

開館記念展の「マネとモダン・パリ」、２０１２年の「KATAGAMI Style」「シャルダン展―静寂の巨匠」、２０１４年「ヴァロットン―冷たい炎の画家」、２０１８年の「ルドン―秘密の花園」などは、この美術館ならではの企画と言えよう。もちろん私企業が経営しているのである程度の集客も必要なのか、「ワシントン・ナショナル・ギャラリー展〜アメリカ合衆国が誇る印象派コレクションから」や「プラド美術館展―スペイン宮廷　美への情熱」のような「○○美術館展」も開催される。

開館以来、館長はかつて国立西洋美術館の学芸課長を務めた高橋明也氏で、19世紀フランス美術の専門と海外の美術館やマスコミ事業部との人脈を十分に生かしているようだ。シャルダンやルドンの個展は国立西洋美術館で開催されてもおかしくないレベルの企画であり、その意味でも国立西洋美術館の企画力が問われている。

サントリー美術館の歴史はずっと古い。1961年に丸の内のパレスビル内にできて、1975年に赤坂のサントリービルの最上階に移転した。私が知っているのはこの赤坂時代からだが、2007年にミッドタウンに移転した。もともと古美術の収集で知られ、ガラス工芸やポスター（今はなくなった大阪のサントリーミュージアム［天保山］の収集）でも有名だ。

私の記憶に残っているのは、2008年「開館1周年記念展　ガレとジャポニスム」、2009年「清方ノスタルジア―名品でたどる　鏑木清方の美の世界―」、2013年「生誕250周年　谷文晁」、2015年「生誕三百年　同い年の天才絵師　若冲と蕪村」、2016年「鈴木其一　江戸琳派の旗手」、2017年「六本木開館10周年記念展　天下を治めた絵師　狩野元信」などだが、展示作品のなかにはこの美術館の所蔵が混じっていることが多い。

逆に言えば漆工、陶芸、絵画、染織、ガラス工芸などで多くの重要文化財を含む所蔵品があるために、国内外の美術館との貸し借りも借用料なしで可能である。この美術館のエミール・ガレのコレクションがあれば、オルセー美術館の作品も交換関係を前提に無料で借りることができる。この美術館はそのためにマスコミ主導ではない（主催に名前が入っていても名義のみの場合が多い）企画展がほとんどだ。

海外にも誇れるコレクションがあると、借用料を払わずに世界レベルの展覧会ができる例は、千葉県のＤＩＣ川村記念美術館で２００９年に見た「マーク・ロスコ　瞑想する絵画」展。「シーグラム壁画」と呼ばれる一部屋を飾る壁画を７点所有する同館は、３点を所有するロンドンのテート・モダンと５点を所有するワシントンのナショナル・ギャラリーと共同で３館巡回のロスコ展を企画した。ほかにない所蔵品があれば、海外の超一流美術館とも普通に貸し借りができる。

同じ私立でも２００３年にできた六本木の森ビルの森美術館は所蔵品は少なく、53階の３千平米の広い展示室で長期間の企画展を開く。２００４年「イリヤ＆エミリア・カバコフ展『私たちの場所はどこ？』」、２００６年「ビル・ヴィオラ：はつゆめ」、２００８年の「アネット・メサジェ：聖と俗の使者たち」、２０１２年「会田誠展：天才でごめんなさい」、２０１４年「森美術館10周年記念展　アンディ・ウォーホル展：永遠の15分」、２０１５年「村上隆の五百羅漢図展」、２０１９年「塩田千春展：魂がふるえる」などの現代美術の個展はこの美術館ならではだが、毎年開かれる「六本木クロッシング」を始めとする多くの作家が参加するテーマ展は、私には今ひとつ楽しめない。

1階下の森アーツセンターギャラリーは、基本は貸し会場。確実に集客が見込めるアニメや漫画の展覧会や集客に関係なく費用を負担するファッションブランドの展覧会が多いが、2019年初春の「新・北斎展」のように新聞社などからの持ち込みも出てきた。ここができたことも、国立新美術館や東京都美術館と共に、21世紀の大量動員の展覧会の勢力図を変えたと言えよう。

国立新美術館が受け継いだもの

東京都現代美術館は、2019年3月に約3年間の改装を経て再オープンしたが、近年は「東京アートミーティング」のシリーズなど、森美術館のテーマ展と同じく、私にはつかみどころのない展覧会が増えた。それでも以下の展覧会は憶えている。1997年「中西夏之展　白く、強い、目前、へ」、1998年「河原温　全体と部分　1964―1995」、2007年「磯辺行久　SUMMER HAPPENING」、2008年「大岩オスカール　夢みる世界」、2011年「名和晃平―シンセシス」、2015年「菅木志雄　置かれた潜在性」。

最近は建築やデザインなど他分野に広がって私にはあまりおもしろくないので、ここだけは開館以来からの気になった展覧会を挙げた。いずれも展覧会当時は存命の現代作家の個展である。特に地下の広い吹き抜けを使った展示は、中西夏之展など印象に残っている。またこの美術館は奥に常設展示室があり、日本を中心とした現代美術の概観を知るのに適している。

この美術館の現代作家の個展の精神を受け継いだのは、実は国立新美術館でたまに開かれる現代作家の個展や二人展であるように思う。2009年「野村仁　変化する相―時・場・身体」「光　松本陽子／野口里佳」、2012年「国立新美術館開館5周年　与えられた形象―辰野登恵子／柴田敏雄」、2014年「中村一美展」、2019年「イケムラレイコ　土と星　Our Planet」などは東京都現代美術館と同じように広い空間を作家と共に作り上げたような展覧会である。国立新美術館は設立当初、東京都現代美術館から福永治、南雄介の両学芸員が移ってきたこともあるかもしれない。いずれにしても国立新美術館は、マスコミとの共催展をやり、団体展に貸し出しながら、さらに時々自主企画を行っている。

千葉市美術館、横浜美術館

　そのほか、都心に住む私には少し遠いが、時々がんばって行く価値のある美術館は多数存在する。まず、千葉市美術館は2010年「伊藤若冲　アナザーワールド」、2011年「生誕250周年記念展　酒井抱一と江戸琳派の全貌」、2014年「赤瀬川原平の芸術原論　1960年代から現在まで」、2018年「1968年　激動の時代の芸術」などが記憶に残る。もっと近ければ行きたいと思った展覧会はほかにいくつもあった。美術館は千葉駅から徒歩15分もあり、千葉市中央区役所の上にあって（2019年5月に移転）およそムードも何もないし、展示室も日本画用のガラスケースがあって使いづらそうだが、新聞社などからの持ち込みがない分、自主企画が冴えている。2020年7月にはリニューアルオープンして展示面積が増えるので楽しみだ。同じ千葉県には、佐倉市なのでさらに遠いが前述したＤＩＣ川村記念美術館もある。

　横浜美術館はみなとみらい地区にあって千葉市美術館に比べると場所も華やかで、時々はマスコミとの共催展もやりながら、自主企画のエッジの利いた現代美術展もこなしている。マスコミとの共催展だと2010年「ドガ展」、2013年「プーシキン美術館展　フランス絵画300年」、2018年「ヌード　ＮＵＤＥ—英国テート・コレクションより」などがそうだろう。

現代美術だと2009年「横浜美術館開館20周年記念展　束芋：断面の世代」、2011年「松井冬子展　世界中の子と友達になれる」、2012年「奈良美智：君や僕にちょっと似ている」、2015年「石田尚志　渦まく光」「蔡國強展：帰去来」、2016年「村上隆のスーパーフラット・コレクション―蕭白、魯山人からキーファーまで―」などが記憶に残る。

またこの美術館は3年に1度、「横浜トリエンナーレ」の会場ともなっている。この現代美術の祭典が国際交流基金主導で2001年に始まった時は横浜美術館は会場でさえなかったが、今では国際交流基金が撤退して横浜美術館がメイン会場でかつ主な主催者となって、文化庁が支援している。現在日本のあちこちに増えた数年おきの国際的な現代美術祭の元祖であり、かつ常に日本をリードするレベルを保っている。

1989年にできた横浜美術館は、横浜市の人口も多いだけにさまざまな役割を担わされている。一般の住民のためには、マスコミと組んで海外から「プーシキン美術館展」のような「○○美術館展」が必要だろうし、横浜トリエンナーレもあるので目の肥えた美術ファンのためには「蔡國強展」のような現代作家の冒険的な展覧会も必要だろう。セザンヌやモネも無理して個展にせず、2008年「セザンヌ主義　父と呼ばれる

画家への礼讃　ピカソ・ゴーギャン・マティス・モディリアーニ」や2018年「モネそれからの100年」として工夫をしている。横浜市規模の大都市の美術館として模範例ではないだろうか。

その「経営手腕」は、もとは国際交流基金の職員に始まって水戸芸術館や森美術館で学芸員として活躍した逢坂恵理子館長によるものかもしれない。逢坂氏は2019年10月に国立新美術館の館長に就任したので（横浜美術館は2020年3月まで兼任）、これからの国立新美術館が楽しみだ。

世田谷美術館、東京都写真美術館

横浜美術館に近いカラーを持つのが、1986年にできた世田谷美術館ではないだろうか。横浜美術館は丹下健三の建築だが、こちらは内井昭蔵。最寄りの用賀駅から徒歩15分と遠いが、広大な砧公園のなかにあって集客力もある。2009年の「オルセー美術館展　パリのアール・ヌーヴォー——19世紀末の華麗な技と工芸——」や2014年「ボストン美術館　華麗なるジャポニスム展」のようなマスコミと組んだ展覧会のほか、2013年の「アンリ・ルソーから始まる　素朴派とアウトサイダーズの世界」のように多数所有する「素朴派」の所蔵品を生かした展覧会もある。

横浜美術館に比べると現代美術の展示は少ないが、2013年「暮らしと美術と髙島屋」展や2015年の「東宝スタジオ展　映画＝創造の現場」や2016年の「竹中工務店400年の夢―時をきざむ建築の文化史―」のように、私企業を展覧会のテーマに選ぶという大胆な企画も続いている。写真や建築やファッションの展覧会も多いが、この自由な発想は、神奈川県立近代美術館の創成期に学芸員として企画力を鍛えられた酒井忠康館長によるものだろうか。

1995年にできた東京都写真美術館は都心でもあり、よく足を運ぶ。2階、3階、地下1階がそれぞれ約500平米と狭いが、逆に現代写真家の個展には向いたサイズだ。個展もいいが、2019年春の「写真の起源　英国」のような初期写真をめぐる展覧会が私には一番刺激的だ。2016年のリニューアル後「杉本博司　ロスト・ヒューマン」や「アピチャッポン・ウィーラセタクン　亡霊たち」のように、あえて「写真」の枠をはみ出す展覧会を企画しているが、私にはあまり成功しているとは思えない。

そのほかの美術館で私が時々足を運ぶのは、私立で出光美術館、根津美術館、山種美術館あたりか。これらは日本美術を中心とした所蔵品が豊富で、通常の展示は所蔵品のみで組むことも多い。このなかでは出光美術館が最も広く、2019年春の「六古窯―〈和〉のやきもの」のように、所蔵作品に加えて他館からも借用している。

原美術館は私立には珍しい現代美術館で、館のあちこちに収蔵作品が設置されている。2005年から06年の「オラファー　エリアソン　影の光」など最先端の企画展が話題になったが、2020年末に閉館となる。同じく私立のワタリウム美術館も現代美術を中心に、坂本龍一や園子温、浅野忠信などを取り上げて美術の枠を超えた企画展を開催している。

私立で企画展が中心なのは、Bunkamura ザ・ミュージアム、東京ステーションギャラリー、オペラシティ・アートギャラリー、東郷青児記念　損保ジャパン日本興亜美術館（2020年5月よりSOMPO美術館）など。

区立の美術館だと時々行くのは目黒区美術館、渋谷区立松濤美術館、練馬区立美術館あたり。板橋区立美術館は駅からも遠く、なかなか足を運べない。そのほか近郊だと川崎市市民ミュージアム、府中市美術館、埼玉県立近代美術館、神奈川県立近代美術館（葉山館と鎌倉別館）、茅ヶ崎市美術館、平塚市美術館、町田市立国際版画美術館なども気になるが、なかなか遠い。

さらに遠いのが1990年にできた磯崎新の建築による水戸芸術館の現代美術ギャラリーだが、ここでしか見られないインスタレーション系の展覧会を何年に一度か見に行く。最近だと、2018年の「内藤 礼―明るい地上には あなたの姿が見える」に心底打ちのめされた。ここは所蔵作品は少なく常設展会場もないが、現代美術に絞った珍しい美術館で森美術館に近い。じっくりと作家とつきあい、地元住民向けサービスにも力を入れているようだ。

以上、あくまで私がこの10年ほどに自ら足を運んだ美術館や展覧会について書いてみた。要するに展覧会のおもしろさは、マスコミの事業部に頼らずに学芸員がどれだけ独自の視点で展覧会を企画しているかにかかっている。館によって、館長によって、学芸員によってその差はかなり大きい。

第8章　スペクタクル化する展覧会

最新フェルメール展の成績

２０１８年10月から19年2月にかけて上野の森美術館で開催された「フェルメール展」。

様々な意味で画期的だったこの展覧会は、主催者である産経新聞社とフジテレビの宣伝ぶりもすごかった。端的に、ＴＢＳと朝日新聞が主催した前回の「フェルメール展～光の天才画家とデルフトの巨匠たち～」（２００８年、東京都美術館）の比ではなかった。

産経新聞は会期前日の一面をフェルメール《牛乳を注ぐ女》の作品写真と「あす開幕」の展覧会告知のみにしたことを先に述べた。では結果はどうだったか。

入場者数は68万人で、前回「フェルメール展」の93万人を大きく下回った。今回は夜の8時半まで開館したにもかかわらず1日平均5602人で、前回の7917人を下回る。

要因のひとつには、チケット購入のハードルが挙げられるだろう。日本人はまだ展覧会の日時指定に慣れていないし、それ以上に前売り2500円（当日は200円増し）は高かった。1日を1時間半ずつ6つの時間帯に分けていたが、私が開幕数日後に見に行った時は、日時指定券持参で入場に30分以上待たされた。会場の上野の森美術館がほかの美術館に比べてかなり手狭なこともあるが、日時指定券で待たされたことに怒る観客も多かった。

ただし、日時指定入場の方式に問題があるわけではない。もちろんこの金額と入場方式は現在当日一般1700円（2019年10月以降開催）の国立や都立の美術館では簡単に採用できないが、この上野の森美術館や森アーツセンターギャラリー、パシフィコ横浜や幕張メッセといった「貸し会場」ならば可能だ。今後は経費がかかるが集客が確実な展覧会は、新しいチケット方式が定着するかもしれない。

読者がフェルメールに興味があるなら、知っておくべきは「財団ハタステフティング」（在オランダ）の存在だろう。同展では「主催」の次の「企画」としてクレジットされている。これは極めて珍しいことだ。企画会社はクレジットを出さないか、一番最後に「企画協力」として載せるのが普通だからだ。

確かに企画会社から新聞社に企画が持ち込まれ、スタートすることもある。ただこの「ハタステフティング」は、普通の企画会社ではない。

前述の2つのフェルメール展のみならず、2000年の「フェルメールとその時代：日蘭交流400周年記念特別展覧会」（大阪市立美術館）、2011年「フェルメールからのラブレター展コミュニケーション：17世紀オランダ絵画から読み解く人々のメッセージ」（Bunkamura ザ・ミュージアムほか）などを企画・実現させてきたのが、財団ハタステフティングの秦新二理事長なのだ。

秦氏はかつてハタ・インターナショナルという名の企画会社を経営し、よく新聞社に企画を持ち込んでいた。平成になってからの世界的なフェルメール・ブームを受けて、何度もフェルメール展を日本で実現させた人で、2018年のフェルメール展に合わせて『フェルメール　最後の真実』（文春文庫）という本まで出してその手の内を明かしている。関心がある方はご一読を勧める。

秦氏は別の著作で、世界に35点前後（研究者によって異なる）しかないと言われるフェルメールをどのようにして何点も同時に日本に持ってきたかを書いてもいる。要約すると、「フェルメール・シンジケート」と秦氏が呼ぶ世界の美術館学芸員との時間をかけて築いたコネクションによってそれが可能になったというのだ。

ワシントンのナショナル・ギャラリー学芸員などのフェルメール研究における重要人物10名ほどと仲良くなり、作品を貸してもらうと同時に監修もしてもらう。つまり、日本の学芸員の力を一切借りずに、研究者でもない日本人が海外の一流美術館の学芸員の信頼を勝ち得ている。

もちろん彼らと中身のある話をするために、秦氏が相当の勉強をしたことも書かれている。この本ではあまり書かれていないが、それ以上に大きいのは日頃からの資金的援助だろう。

「借用料は原則として発生するが、国公立美術館だと国庫に入るので、他にさまざまなサポートの形がある」（『フェルメール　最後の真実』１８４頁）

「私たちはそれでも同館（フェルメールを持つドイツのアントン・ウルリッヒ公美術館を指す）へのサポートを惜しまずつづけた。図録の出版や作品の修復など、あらゆる面から支えたのである。日本で考える以上にヨーロッパではこのような活動が重視される」（同186頁）

つまり借用料よりも常日頃から美術館に資金援助をし、恩を売っておくというやり方である。そうしてほとんどたった一人で作品を揃えて、日本のマスコミに売り込む。ここで大事なのは個々の作品の質やセレクションのバランスやフェルメール以外の作品を含む展覧会全体ではなく、まずはフェルメール作品の点数である。2008年のフェルメール展では秦氏と日本のマスコミの契約書に企画料と同時に点数が明記されていたと聞いたことがある。

秦氏の役割は商社のようなものだと考えるとわかりやすい。世界各地のコネクションを使って、希望の品の輸入を手配する仕事である。実際に展覧会の日本の企画会社の経営者は商社出身者が多いと聞いたことがある。

マスコミ、特にテレビ局は自分たちが直接交渉するよりも彼らから仕入れた方が手早いから、この関係は続くだろう。フェルメール以外にも、カラヴァッジョやレンブラントやベラスケスなど難易度の高い画家はほかにもいるので、マスコミが今後も展覧会を続けたら第2、第3の秦氏も出てくるに違いない。しかし普通の国公立美術館と秦氏が直接仕事をするのは難しいかもしれない。秦氏の要求する金額や経費はあまりにも大きく、そのリスクを自ら負うことのできる美術館は今の国公立にはないからだ。

売り込み攻勢の問題

最近はヨーロッパの展覧会企画会社が、日本のマスコミに展覧会企画を売り込むこともあるという。2013年に東京都美術館で開催された「エル・グレコ展」では、エル・グレコの作品を何点揃えるからいくら欲しいという、欧州の企画会社からの売り込みを受けたものだった。売り込みには既に海外の専門家の監修者も付いており、輸送費や保険料などの実費は別にコーディネート料を払えば全出品作品を手配してくれる仕組みのようだ。

私は国内にしても海外にしてもこのような企画会社は、マスコミ主導の展覧会よりさらに日本の美術界にとって問題だと思う。

少なくともマスコミは国内美術館の学芸員の意見を尊重するが、このやり方だと日本の美術館は関係ない。上野の森美術館や東京都美術館、森アーツセンターギャラリーなどは受け入れは可能だろうが。作品を貸し出す美術館はあくまでお金のために借用に応じるので、日本の美術館に対する不信感は広まる一方だろう。

一般の観客にとっては、お金を払って楽しみを買うわけだから、それでかまわないのかもしれない。しかしこのような企画会社の持ち込みは日本の美術館を空洞化してゆく。

複製画像という「わかりやすさ」

最近は観客のためにわかりやすく見せる工夫が進んだ。先述したイヤホンガイドや大きくなった解説パネル、映像コーナーに加えて登場したのが、複製画像である。

例えば屏風画を展示する時に、拡大した写真や映像を近くに置くものだ。確かに作品には小型のものもあり、複製だと細部まではっきり見える。2017年に東京都美術館で開催された「ボイマンス美術館所蔵　ブリューゲル『バベルの塔』展　16世紀ネーデルラントの至宝―ボスを超えて―」では、展覧会名にもなっているブリューゲルの代表作《バベルの塔》の複製をいくつも用意していた。

実物が展示された2階のフロアーの、入口の壁に絵画の一部が相当に大きく拡大されている。まるで「塔」を取り巻く道を登るような気分になる。

左側には実物があり、後ろを見ると3倍ほどに拡大した複製があった。これだとかなり細部まで見える。右奥にはシアターがあり、絵画をCGに取り込んで立体的に見せている。見ると、描かれた小さな滑車や労働者たちが動きだしたのには驚いた。確かに塔の建設の様子やそこで働く人々や住む人々の様子が手に取るようにわかる。しかし絵画展で絵をCGに取り込み、動かして見せたのはこれまで例がないのではないか。実物が60×75㎝の小型作品とは言え、これはやり過ぎではないかと思った。

この複製に協力したのは「革新的イノベーション創出プログラム（COI STREAM）」を謳う東京藝術大学のCOI拠点で、これまでも破壊された「バーミヤン東大仏天井壁画」や「法隆寺釈迦三尊像」などの複製を製作している。デジタル技術を使って複製を作ることはオリジナル作品を保存する観点からも重要なことだが、平面作品を動かして来場客に見せるべきだろうか。

また数年前から、複製作品のみを見せる「フェルメール　光の王国」展が、今も国内各地で百貨店を中心に巡回している。見る方がわかっていればいいのだが、複製をあえて「リ・クリエイト」と表現していてどこか怪しい。フェルメールの複製と言えば、大塚国際美術館（徳島県鳴門市）は陶板で８点を公開している。１９９８年にできたこの美術館は世界の泰西名画を原寸大の陶板で作製している。これもまた新たな美術館の形だろう。大塚国際美術館の入場料は大人３３００円だから、「フェルメール展」よりさらに高い。

これらのスペクタクル化は、展覧会に行くことを選んでくれた観客に喜んでもらう工夫なのだ。同時にお金も落としてもらうことを狙う。

２つのミュージアムショップ

満足した人々が最後に足を踏み入れるのが、展覧会グッズ売り場である。

かつてカタログやグッズは美術館内のミュージアムショップで細々と売っていた。新聞社のスタッフが関わるのはカタログとせいぜい絵葉書までで、それ以外のグッズは考えもしなかった。カタログや絵葉書は自宅に帰ってからも展示された作品について考えることのできる「教育目的」のためにあった。

ところが、展覧会の収益を確保するためには、安定したカタログ収入や絵葉書収入のみならず、グッズで派手に稼ぐ必要がでてきた。そこで複数のグッズ会社にプランを提案させることが始まった。

最初は美術館にあるミュージアムショップで売っていたが、次第にそれとは別の特設ショップを作るようになった。展示を見たすぐ後のスペースに置く、特設ミュージアムショップだ。

今ではクリアファイル、便箋、ノート、ボールペン、Tシャツ、傘、テーブルクロス、ピンバッジからお菓子などの食品に至るまで、ありとあらゆるものが100平米を超す売り場で売られている。限定グッズも豊富だ。すべて合わせれば100種類を優に超える場合もある。ミュージアムショップ専門の業者も存在するほか、主催者はそれぞれの商品の卸元から売り上げの2割から場合によっては5割の手数料を納めさせるようになった。例えば東大寺などの所蔵品の展覧会でお寺の名前のついた味噌を売ったり、西洋絵画展で作品の絵柄を使ったビスケットやワインを売ったりするようになった。

1990年代までは、これほど展覧会グッズ売り場は大きくなかった。ところが今は東京国立博物館平成館のように200平米はあるようなグッズ売り場が現れた。

展覧会の中身は「フェルメール9点」というようにわかりやすく単純化され、それを観客は物見遊山のようにでかけておみやげを買って帰る。展覧会はディズニーランドと同じような現代のスペクタクルの一つになった。

ビエンナーレ、トリエンナーレとは

21世紀になって「トリエンナーレ」という言葉を聞くようになった。もしかしたら2019年夏の「あいちトリエンナーレ」問題で知ったという人もいるかもしれないが、始まりは2000年に新潟県で行われた「大地の芸術祭　越後妻有アートトリエンナーレ」だ。翌2001年に「横浜トリエンナーレ」が始まる。その後全国各地でトリエンナーレと名の付く3年に1度の現代美術展が雨後の筍のようにできた。「トリエンナーレ」と呼ばれる現代美術展は、1895年に始まったイタリアの「ベネチア・ビエンナーレ」La Biennale di Venezia に起源がある。

当時世界各地で盛んだった万国博覧会の美術版としてベネチア・ビエンナーレは始まり、1932年からはベネチア国際映画祭もその1部門として始まった。「ビエンナーレ」は2年に1度の開催を意味しており、その後1951年にブラジルのサンパウロ・ビエンナーレが始まった。3年に1度の「トリエンナーレ」としては、インド・トリエンナーレ（現在中断中）やデザイン、ファッション、建築などを対象としたミラノ・トリエンナーレなどが知られている。ほかに4年に1度のドイツのカッセル・ドクメンタも有名だ。

ビエンナーレやトリエンナーレは美術館を会場に含むこともあるが、それ以外にも森や海岸の自然の中に作品があったり、街の通りに立体展示があったりする。いずれにしても通常の展覧会の何倍もの大きな規模であることが普通だ。

２００１年に横浜トリエンナーレを始めた中心となったのは、国際交流基金だった。私は１９８０年代末から90年代前半にかけてそこに勤務しており、そこはベネチア・ビエンナーレやサンパウロ・ビエンナーレの日本側事務局として日本の美術作家を送っていた。日本でもそのような世界の現代アートが集う国際的なイベントを作りたいというのは、実は国際交流基金の悲願だった。

朝日新聞社に移ってから、国際交流基金が横浜トリエンナーレを本格的に準備していることを聞いて、当初はＮＨＫのみマスコミの主催が決まっていたのを、自分が勤務する朝日新聞社を加えてもらうことにした。

４人のディレクターを立ててパシフィコ横浜と赤レンガ倉庫を中心に始まった第１回

は35万人の有料入場者が集まって、一応の成功となった。中心となっていた国際交流基金は予算不足で2008年を最後に主催からは撤退した。今は横浜市が中心となって文化庁の支援を受けて継続している。

その前年に始まった「大地の芸術祭　越後妻有アートトリエンナーレ」はアートフロントギャラリーという画廊を経営する北川フラム氏が中心になったもので、こちらの来場者は16万人だった。当初は横浜トリエンナーレと比べて、作家や作品を選ぶディレクターを立てずに画廊経営者が選ぶことはおかしいとか、恒久的な設置作品も多く結局は村おこしだという批判もあったが、現在では、横浜美術館が中心となって規模が縮小して停滞気味の横浜トリエンナーレに比べて、年々参加者は増えて盛んになる一方である。2018年は、55万人が来場している。

北川フラム氏は今では「瀬戸内国際芸術祭」「北アルプス国際芸術祭」「奥能登国際芸術祭」の総合ディレクターを兼ねている。とりわけ瀬戸内海の直島にホテルや美術館を開発したベネッセと組んで2010年に始まった瀬戸内国際芸術祭は、瀬戸内海の島々を使って開催され、2019年には春、夏、秋の会期合計で117万人強を集めている。

横浜トリエンナーレ型のディレクターを立てる形の国際美術展は、2010年に始まったあいちトリエンナーレや２０１４年の札幌国際芸術祭など各地に増えている。残念なことに横浜トリエンナーレを含めてベネチア・ビエンナーレやカッセル・ドクメンタのような国際的なインパクトのあるものはないが、各地で多くの観客を集めている。

長い間、現代美術は美術ファンにさえ難しいものとして遠ざけられてきた。そのうえ、政治的だったり社会的だったり、ある種の毒を持つ作品が多い。ところが仮設の会場で設置される大きな美術作品は親しみやすい。ましてや越後妻有アートトリエンナーレや瀬戸内国際芸術祭のように、野外のインスタレーションが中心となると、壮大な規模の作品も多く、普通の観客にも楽しめる場合が多い。その両方では作品を見るために山に登ったり、フェリーで海を渡ったりする。作品を見ること自体が、ある種の冒険のようになる。特に瀬戸内国際芸術祭では、直島を始めとしてアートの恒久施設がどんどん増えている。今世紀に入って、各地の過疎地が観光地として賑わうための現代美術の新しい使い方が生まれている。これらにはマスコミの主催、共催は少なく、あっても名前だけだ。その意味でも新しい流れである。

「ファーレ立川」のナイジェリアのサンデー・ジャック・アクパンの作品。36か国の作家による立体芸術110が展開された

最近では、そのように楽しめる現代美術作品を恒久展示している美術館ができた。２００４年にオープンした金沢21世紀美術館（金沢市）は妹島和世と西沢立衛《りゅうえ》の共同設計事務所ＳＡＮＡＡによる建築で、レアンドロ・エルリッヒの作品《スイミング・プール》で知られる。これを含め10点ほどの楽しめる立体型の現代美術作品を無料で公開し、開館後１年で入館者数１５７万人を記録した。２００８年に開館した十和田市現代美術館（建築はＳＡＮＡＡの一人、西沢立衛）はさらに恒久作品を38点に増やしている。作品は美術館内のみならず、近くの広場や商店街にも広がっている。

このような野外に多数の現代美術を恒久的

に設置したのは、１９９４年の「ファーレ立川」が最初ではないか。立川駅から3分ほど歩くと、１００を超す現代美術のパブリック・アートが街のあちこちに点在している。これを企画したのが、越後妻有アートトリエンナーレの北川フラム氏だから、これらの流れのすべてはつながっている。

国際美術展の全国的な広がり、特に野外美術展の人気ぶり、楽しめる現代美術の恒久展示は、おそらくディズニーランドやフジロックフェスティバルなどの音楽フェスを究極の形とする野外エンタテインメントの流れの中にあるのではないだろうか。

普通の美術館に比べると家族連れで楽しめて、文化的な要素も混じっているのである層の人気を摑んでいる。それによって美術作家や画廊などの美術関係者が潤うのは大いに結構だが、現代美術が持っている反権力、反社会的な力はそれらから感じることはあまりない。

これらの動きは、大きく言うと前述の北川フラム氏と森美術館長の南條史生氏（２０19年12月退任）の力によって生まれたものかもしれない。南條氏はもともと国際交流基金に勤務し、２００1年の横浜トリエンナーレではアーティスティック・ディレクターの1人であった。横浜トリエンナーレの主体となる横浜美術館の逢坂恵理子館長も十和田市現代美術館の児島やよい副館長（2018年3月まで）も、それぞれ国際交流基金や南條氏と仕事をしている。北川氏も南條氏もいわゆる学芸員や研究者出身でないところが興味深い。

2019年8月に始まった第4回の「あいちトリエンナーレ」は、その中の展示の1つである「表現の不自由展・その後」が中止に追い込まれて、波紋を呼んだ。この問題の根本にあるのは、「あいちトリエンナーレ」を「大地の芸術祭　越後妻有アートトリエンナーレ」や「瀬戸内国際芸術祭」のような地方振興のためのエンタテインメントと考えたことではないだろうか。

「あいちトリエンナーレ」はその2つとは違い、毎回展示内容を決める「芸術監督」がいるし、会場の中心となるのは愛知芸術文化センターや名古屋市美術館などの美術館であり、主催は愛知県を始めとする自治体でマスコミは加わっていない。北川フラム氏のような総合プロデューサーが地方の振興を考えながら少しずつ恒久施設を作っていくのではなく、現代美術の現在をそのまま見せてゆく。だからベネチア・ビエンナーレなどがそうであるように、現代美術が本来持つ反社会や毒の部分をも含む作品もあるのが普通なのだ。「表現の不自由展・その後」のような社会に摩擦を起こす作品があるのは何らおかしいことではない。地域振興のための瀬戸内国際芸術祭のようなイベントは、あくまで日本的なイベントで一緒にしてはいけない。

「リーディング・ミュージアム」の迷走

2018年5月19日、読売新聞が文化庁の「リーディング・ミュージアム」構想を報じ、美術界を中心に大きな波紋を呼んだ。報道されたのは、日本の美術館の中心となる「リーディング・ミュージアム」を決めて、そこを中心に美術品の売買を活性化させてゆくという内容だった。第6章で触れた「ナショナル・ギャラリー構想」に通じる派手さだが、中身は全く異なる。これは日本で美術マーケットが欧米に比べて小さいという事実と日本の美術館・博物館は制度上、収蔵品をマーケットで売ることはできないという2つの日本的現象を組み合わせて一度に解決しようとしたいわば「奇策」だった。

これに対して、全国389（当時）の美術館・博物館が加盟する全国美術館会議は翌月に声明を発表した。

「美術館はすべての人々に開かれた非営利の社会教育機関である。美術館における作品

【目指すべき方向性】

優れた美術品がミュージアムに集まる仕組みを構築し、美術品の二次流通の促進、アートコレクター数の増、日本美術の国際的な価値向上を図るとともに、国内に残すべき作品についての方策を検討し、アート市場活性化と文化財防衛を両立させ、インバウンドの益々の増に繋げる。

《今後考えられる施策》

①リーディング・ミュージアムの形成
- 学芸員等体制の強化
- 全国のミュージアム・コレクションのネットワーク化
- ミュージアム・コレクションを持続的に充実させる仕組みづくり

②アートに係るインフラ整備
- 美術品がミュージアムに集まることを促す税制の検討
- 「データベース」「アーカイブ」「トレーサビリティ（来歴情報）」の整備

③世界のトップ層を呼べるアートイベントの実現

④日本美術に関する情報の積極的海外発信（翻訳支援等）

首相官邸ＨＰ「構造改革徹底推進会合」2018年4月17日文化庁提出資料「アート市場の活性化に向けて」P11

収集や展覧会などの活動が、結果として美術市場に影響を及ぼすことがありうるとしても、美術館が自ら直接的に市場への関与を目的とした活動を行うべきではない。

美術館による作品収集活動はそれぞれの館が自らの使命として掲げた収集方針に基づいて体系的に行われるべきものである。美術作品を良好な状態で保持、公開し、次世代へと伝えることが美術館に課せられた本来的な役割であり、収集に当たっては投資的な目的とは明確な一線を画さなければならない」

文化庁が首相官邸の「構造改革徹底推

進会合」で同年4月17日に発表した「アート市場の活性化に向けて」という資料を見るとわかるのは、世界のアート市場は6・75兆円なのに、日本の市場は2437億円しかないのでこれを活性化したいという意図のようだ。日本のGDPは世界3位、100万ドル以上の資産を持つ富裕層の数は世界2位だから可能性は大いにあるはずだ。

だが日本の美術館をはじめギャラリーやアートフェアなどのアートビジネス界の力が弱く、インパクトのあるビエンナーレなどの国際展もなければ、海外に影響を与える批評家もいないのが現実だ。そこでまずはリーディング・ミュージアムを中心に予算や人材を集中させて、アート市場を活性化すべきだという。

美術界の反発は、読売新聞が報じたのが、まるで美術館が美術品をもっと売り買いするべきというイメージを与えたからだが、それはよく資料を見れば文化庁の本意ではないことはわかる。そもそも日本の国公立美術館は所蔵作品を市場に売ったことがない。もちろん欧米の美術館ではより欲しい作品を買うための売却は許されているし、その話は伝わってくるから、その例を文化庁に教えた美術関係者はいたに違いない。

それは置いておくとしても、やはり文化庁の活性化案は二重三重におかしい箇所がある。なぜか総理官邸のサイトに置かれた文化庁の報告書の「目指すべき方向性」には、

「優れた美術品がミュージアムに集まる仕組みを構築し、美術品の二次流通の促進、アートコレクター数の増、日本美術の国際的な価値向上を図るとともに、国内に残すべき作品についての方策を検討し、アート市場活性化と文化財防衛を両立させ、インバウンドの益々の増に繋げる」と盛り沢山の内容が詰まっている。

日本のアート市場が活性化しないのは、単に現代日本の「資産家」は基本的にアートを買わないからだろう。それ以前に資産100万ドル、つまり1億2千万円ほどの「資産家」なら日本は世界2位かもしれないが、美術品を買うにはそれでは難しい。日本は平等社会で大会社の社長の年収も抑えられているので、創業者でもなければ美術品を買える「資産家」は少ない。

だから中国や韓国に比べても日本に大きなギャラリーは栄えないし、アートフェアもオークションも盛り上がらない。私は東京でオークションを取材したことがあるが、1950年代から70年頃まで関西を中心に活躍し、戦後美術で最も海外で知られる「具体」グループの作家など日本の戦後美術の重要な作品が出ると、手を挙げるのは欧米人でなければ中国系や韓国系の買い手が多かった。サザビーズやクリスティーズはアジアのオークションを香港で開くが日本ではプレビューしかやらない。中国にはサザビーズ級の大きなオークション会社がいくつもあるが日本にはない。世界最大のアート・フェアであるアート・バーゼル（スイス）は、マイアミ・ビーチ（米国）と香港でも開催されているが、日本では国際的なインパクトを持つアート・フェアはない。

さらにアート市場を活性化するのが、美術館というのも間違っている。欧米だと美術館長がオークションに参加して購入したという話を聞くが、日本の国公立美術館では作品を購入するためには外部委員を交えた委員会があって館長の一存では決められない。それ以前に、日本の美術館はいったん開館すると毎年の購入予算は少ないかゼロなので、オークションで売買されているような作品には手が出ない。

未来のための奇抜なアイデア

それでも私は「リーディング・ミュージアム」という考え自体には、少し惹かれるところがある。次の文章は報告書に書かれた「今後考えられる施策」である。

①リーディング・ミュージアムの形成：学芸員等体制の強化、全国のミュージアム・コレクションのネットワーク化、ミュージアム・コレクションを持続的に充実させる

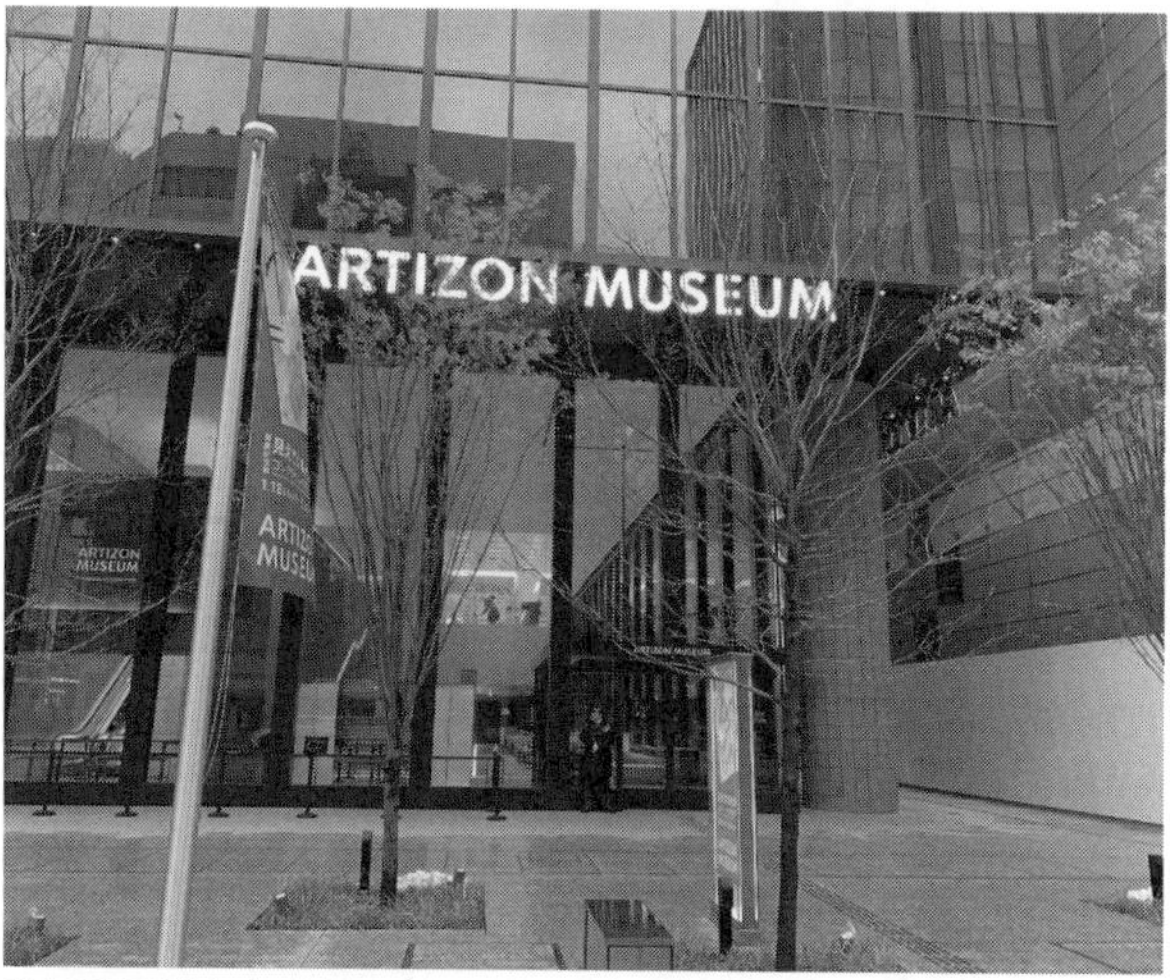

2100平米と広くなったアーティゾン美術館は、ビル街に溶け込む

仕組みづくり
②アートに係るインフラ整備：美術品がミュージアムに集まることを促す税制の検討、「データベース」「アーカイブ」「トレーサビリティ（来歴情報）」の整備

「リーディング・ミュージアム」についての解説はどこにもないが、これは普通に考えたら東京国立博物館や東京国立近代美術館のような美術館・博物館を指すのだろう。これらの美術館には研究員はほかに比べたら十分にいるが、この資料にある大英博物館やルーヴル美術館並みにスタッフの数を増やし予算を多くする

必要がある。ただし今のままではなく、まず国立美術館・博物館自体の抜本的再編が必要かもしれない。

たとえば東京国立博物館の魅力に内外の人々が気づき、何倍も訪れるようになるためには、平成館の企画展よりも収蔵作品の展示にスポットを当てたほうがいいのではないか。平成の時代に東京ではマスコミが大量動員の展覧会に使う貸し会場的な会場が増え過ぎた。国立新美術館、森アーツセンターギャラリーができたうえに、東京都現代美術館ができたために東京都美術館もそこに加わった。東京国際フォーラムや幕張メッセやパシフィコ横浜などの見本市会場でも時おりマスコミ主催の展覧会が開かれる。

突飛なアイデアだが、もし国立西洋美術館とアーティゾン美術館（旧ブリヂストン美術館）が組めば、世界的にも相当のレベルの印象派コレクションとなる。国立西洋美術館は常設展のみにして、アーティゾン美術館を企画展会場にしたらどうだろうか。大原美術館、ひろしま美術館、ポーラ美術館など西洋美術の充実した館も参加できないだろうか。これだけ揃えば、欧米の大美術館並みのコレクションとなる。アーティゾン美術館は2015年5月から休館してリニューアルしたばかりだが。

東京都の公立美術館も整理統合ができたらいい。奇抜に思われるかもしれないが、私のアイデアは、まず東京都が管理する東京国際フォーラムと東京都現代美術館を入れ替えることだ。見本市は専門家向けなので木場に移動してもかまわない。そして区立の美術館はすべて東京都に作品を委託して、有楽町で膨大なコレクションが見られたらいい。そうすれば東京都の所蔵品で海外の美術館と互角に貸し借りができるはずだ。

もちろん区立の美術館は企画展会場や貸しギャラリーとして存続するので今とほぼ同じ。各道府県でもこうした集約化ができないだろうか。「全国のミュージアム・コレクションのネットワーク化、ミュージアム・コレクションを持続的に充実させる仕組みづくり」とはこのように解釈できないか。

もちろん「美術品がミュージアムに集まることを促す税制の検討」は重要だ。よくフランスで相続税を払う代わりに遺族が作品を国家に納める制度が語られるが、これはぜひ実行して欲しい。「『データベース』『アーカイブ』『トレーサビリティ（来歴情報）』の整備」はさらに不可欠だ。現在は、ある美術作家の作品がどこにあるかは、相当に経験を積んだ美術館学芸員でないとわからない。

多くの美術館は所蔵作品カタログを発行しているが、それは何十年に一度のこと。ネット時代なのに、いまだに所蔵作品さえデータ公開していない美術館が多いのは驚くべきことだ。図書館の本も全国で検索できるのだから、美術作品も共通のフォーマットで全国の美術館がつながるシステムを構築して欲しい。

もし所蔵作品がたちどころにわかれば展覧会の企画はしやすくなるし、美術館同士での美術作品の交換なども生まれるかもしれない。ある画家の作品を一点のみ持っていたら、それをその地元の美術館に渡して別の作品と交換するようなことができないだろうか。これこそ「全国のミュージアム・コレクションのネットワーク化」だろう。

「『トレーサビリティ（来歴情報）』の整備」は、日本の美術館が遅れている分野だ。ある作品がどのような所蔵を経て、これまでどの展覧会に出品されたかは作品や作家研究においても極めて重要な要素だ。それが全国的なデータベース化で見ることができたらすばらしい。国立館はさすがに充実しているが、とりわけ国立西洋美術館のデータはトレーサビリティも明示されている。

文化庁はこの提案の実現のために、２０１８年度から毎年5千万円の調査費を5年間国立新美術館につけているという。しかしその趣旨が「世界のアート市場に比して小規模にとどまっている日本のアート市場を活性化し拡大するため、日本人作家及び近現代日本美術が国際的な評価を高めていくための活動を展開する」というのは全く的が外れている。

「日本のアート市場を活性化し拡大する」必要はない。それで得をするのは手数料などを得る一部の画廊関係者だけだろう。アート市場の活性化は、日本の美術館がマスコミに踊らされた企画展中心主義をやめて本来のコレクションの充実を果たしていけば、あとから自然について来るものである。「日本人作家及び近現代日本美術が国際的な評価を高めていく」ことは大事だが、これまた日本の美術館がきちんと日本の美術を購入して常設展示してゆけば生まれることである。無理に国がお金を使って国際展やアートフェアやオークションを盛り上げる必要はない。

とりあえず毎年5千万円のお金が5年間あるならば、まず全国の美術館の所蔵作品のデータベース化とネットワーク化に取り組んで欲しい。

平成の30年で、日本の美術館はずいぶん増えた。特に大型企画展の会場が都心にいくつもできた。それに伴って展覧会の数も増えたし、100万人は一度しかなくても30万人以上が毎年10本はある。数年に一度の野外の国際現代美術展もいくつもできた。これはどこにもデータがないが、展覧会に行く人の総数は飛躍的に増えたのではないか。

しかしそれは主にマスコミが主導する企画展の話であって、美術館の本来の目的であ

森美術館での「塩田千春展」。赤や黒の線を張りめぐらせた展示が話題を呼んだ

るコレクションの充実とその常設展示に関してはほぼ停滞したままだ。次の30年はそこを充実しないと、いつまでたっても世界水準には追いつけない。それが最終的に「アート市場の活性化」にも「日本人作家及び近現代日本美術が国際的な評価を高めていく」ことにもつながってゆくことは間違いない。

2019年の現代美術展を見ながら

2019年の展覧会では、「あいちトリエンナーレ」の問題も含めて、「現代美術」がこれまでになく話題になったのではないだろうか。1月に国立新美術館で開催された「イケムラレイコ」展、夏から秋にかけての同館での「クリスチャン・ボルタンスキー―Lifetime」、同じ六本木の森美術館の「塩田千春展：魂がふるえる」など国際的に見てもレベルの高い現代美術作家の大きな個展が続々と開催された。

特に塩田千春展は若い観客に盛況で、土日は入場の待ち時間が1時間を超した。最終的には66万人を超す入場者となった。もちろんこれには同館が写真撮影を自由にしてSNSを通じて話題を拡散する手法を駆使していることもあるし、塩田作品がビジュアルとして抜群に「インスタ映え」することもあるが、現代美術にこれほど集客力があるとは思わなかった。この3本の展覧会のどれもが人間や自然や世界をめぐる深い洞察に基づいたもので、多くの来場者が長い時間を過ごしていた。これほど現代美術が身近なものとして感じられたことはなかったのではないか。

この3本の展覧会は、いずれも美術作家がそれぞれの展覧会場を十分に考慮したうえで中身を決めているのは間違いない。ボルタンスキー展は国立新美術館の前に大阪の国立国際美術館で開催しているが、全体の印象はかなり違うらしい。美術作家と学芸員のたっぷり時間をかけた準備がなければ、このような展覧会は実現できない。

チームラボの展示。御船山楽園の湯舟跡に配された
巨大な柱のなかで桃色や紫色の花が発光し、移り変わっていく

「あいちトリエンナーレ」はいろいろあったが、愛知県美術館や名古屋市美術館など各施設の入場者を足すと68万人というこれまでで最高の入場者数を記録した。「現代美術」が毒を含む存在であることを社会に示した点でも、結果としては大きな意味があった。文化庁が内定した助成金を取り消したり、芸術文化振興基金の規定を直後に変更したのは大きな禍根を残したが、それでも議論を巻き起こしたこと自体は意味があった。

「チームラボ」が見せた形

音と光によって未来的な空間を提供する「チームラボ」も現代美術の一つの形だろう。2018年からお台場と豊洲に同時に2つの異なる展示を展開し、満員が続いている。デジタル技術を駆使して観客の動きに反応するインタラクティブな点でもほかに類を見ない。佐賀県の武雄温泉の展示では、野外の森や池を使って観客を楽しませていた。古い大きな浴場の跡地をあえてそのまま使った展示は相当に洗練されていた。現代美術でありながらエンタテインメント性が極めて高く、まさに子供からお年寄りまで楽しめる。

香川県と高松市がベネッセと組んだ「瀬戸内国際芸術祭」も盛んになる一方だ。私はこれまで3度足を運んだが、行くたびに恒久展示施設が増え、豊島《てしま》美術館や地中美術館は事前予約が必要になった。現代美術展というより地域振興を目的としたものだが、このような形でこれまで美術館に足を運ばなかった人々が現代美術に触れていくのは、悪いことではない。

伝統あるベネチア・ビエンナーレや4年に1度のカッセル・ドクメンタを見て思うのは、一般の観客が大勢見に来ていることだ。もちろんなかには相当に反社会的な展示もあるが、みんなそれぞれを楽しんでいる。21世紀になってトリエンナーレや野外現代美術展が日本でも各地に定着し、それを楽しむ観客が育ってきている。参加するボランティアも多い。

それは新聞社やテレビ局が海外に大金を払って「○○美術館展」を持ってきて、その宣伝力で遮二無二大量動員するような展覧会とは対極にある。展覧会に関わる者が美術作家をリスペクトして協力して展示を作り上げ、観客はそれをおのおのの見方で楽しむからだ。

このようなトリエンナーレや現代美術展が多くの観客で賑わっているのは、日本独特かもしれない。そこには新しい希望があるように思える。日本では西洋型の美術館・博物館は定着しなかったし、今後も無理かもしれない。マスコミの展覧会への関与もなくならないだろう。しかしひょっとすると現代美術の見せ方においては、世界のモデルとなる形が日本にできるかもしれない。そんなことを考えた２０１９年だった。

おわりに

この本は、2018年秋に新潮社の「新潮新書」編集部の門文子さんから突然のお手紙をいただいたことから始まった。大学で映画史を教えながらも、かつて長年美術展に関わった経験を生かして朝日新聞デジタルの「論座」に映画と同時に美術をめぐる文章をたまに書いていた。展覧会が好きな編集者の門さんは、その作られ方やその裏側を書いてくれる人がいないかと探していたらしい。そして私の「論座」の文章、とりわけ「『〇〇美術館展』はもういらない」(2012年4月27日)を読んで依頼を決めたという。

お手紙には既に目次案もついていた。とりあえずお会いすると、原則として編集部の了解は取れているのであとは私が書くだけだとのこと。ようやく書き始めたのは2019年の春休みだった。それから2、3章を書いては門さんに送り、アドバイスをいただいた。ゴールデンウイークに最初の原稿を書き終えて、夏休みに手直しをした。映画についての文章と違い、自分の専門分野でないだけに不安も多かったが、彼女のアドバイスで何とかたどりついた。少しでも一般向けにわかりやすい本になっているとしたら、改行したり小見出しを増やしたり重複を指摘してくれた門さんのおかげである。

大学で映画を教え始めてこの10年余り、美術業界からは全く離れていた。しかし不思議なことに、この期間はそれまで以上に展覧会を見るようになった。そして業界から離れるがゆえに、美術館や展覧会に対する率直な疑問や要望も多くなった気がする。この本はその気分をもとに、これまでの自分の経験をできるだけ具体的に盛り込んで書くことにした。

映画について私が書く文章は、批評か研究論文だ。いずれにしても自分の経験を振り返りながら書くことはないので、今回の執筆は異質の体験だった。

結果として、自分が長年給料をいただいた新聞社の文化事業部門を正面から批判する内容になってしまった。その前に勤めた国際交流基金にも苦言を呈している。かつての同僚や先輩や後輩は不愉快に思うかもしれない。あるいは知り合った多くの美術館・博物館の学芸員の友人たちも「そこまでばらさなくても」と言うだろう。それでもあえてこの本を書こうと思ったのは、展覧会を見に来る大勢の観客の方々にもっと展覧会のことを知って欲しい、その楽しみ方を学んで欲しいと思ったからだ。

かつて世田谷美術館の館長だった故・大島清次さんが、美術作品は食材で、美術館学芸員は料理人だと言うのを聞いたことがある。マスコミの宣伝に騙されず、学芸員が選び抜いた材料に工夫を重ねて作り上げた料理を、見る一人一人が楽しんで欲しい。そのためには、一見豪華に見えるが見掛け倒しのお店を見破る必要がある。そう思って「食べてはいけない」とばかりに、一般にはほとんど知られていない「不都合な真実」をこの本ではあえて並べた。この本によって美術関係者の多くは顔を顰めるだろうが、それは仕方がないと今では考えている。そんなことより、少しでも目の肥えた成熟した見方をする美術ファンが増えることの方が、結局はよりよい美術館や展覧会の環境を作っていくと思うからだ。

私の最初の単著が美術の本になるとは思わなかった。もともと美術の仕事を始めたのも全く偶然だった。人生、何が起こるかわからない。最初から最後まで手取り足取り引っ張ってくれた「新潮新書」編集部の門文子さんにお礼を述べると共に、きっかけとなった「論座」に自由な原稿を書かせてくれた朝日新聞社の高橋伸児さんに感謝したい。

もちろん、国際交流基金や朝日新聞社の同僚たち、美術界の友人たち、先生方との出会いと共同作業がなければこの本は書けなかった。ありがとう、そしてごめんなさい。
昨年の初めに亡くなった母と、多くの展覧会を一緒に見た妻にこの本を捧げる。

コロナ禍でほとんどの美術展が閉じた4月に　古賀　太

主要参考文献

浅野敞一郎『戦後美術展略史　1945―1990』求龍堂、一九九七年
井出洋一郎『美術館学入門』明星大学出版部、一九九三年
岩渕潤子『美術館の誕生　美は誰のものか』中公新書、一九九五年
金子淳『博物館の政治学』青弓社、二〇〇一年
暮沢剛巳『美術館はどこへ？　ミュージアムの過去・現在・未来』廣済堂出版、二〇〇二年
暮沢剛巳『美術館の政治学』青弓社、二〇〇七年
暮沢剛巳、難波祐子編著『ビエンナーレの現在　美術をめぐるコミュニティの可能性』青弓社、二〇〇八年
関秀夫『博物館の誕生―町田久成と東京帝室博物館―』岩波新書、二〇〇五年
高階秀爾『芸術のパトロンたち』岩波新書、一九九七年
高橋明也『美術館の舞台裏――魅せる展覧会を作るには』ちくま新書、二〇一五年
立石亥三美『展覧会　うらかたの記　新聞社文化事業・一担当者の30年』北辰堂、一九九五年
並木誠士、吉中充代、米屋優編『現代美術館学』昭和堂、一九九八年
西澤寛『展覧会プロデューサーのお仕事』徳間書店、二〇一八年
秦新二、成田睦子『フェルメール最後の真実』文春文庫、二〇一八年

初田亨『百貨店の誕生　都市文化の近代』ちくま学芸文庫、一九九九年
平田オリザ『芸術立国論』集英社新書、二〇〇一年
平野公憲『私の展覧会クロニクル　1978―2009』論創社、二〇一二年
古川隆久『皇紀・万博・オリンピック　皇室ブランドと経済発展』中公新書、一九九八年
水野和夫、山本豊津『コレクションと資本主義　「美術と蒐集」を知れば経済の核心がわかる』角川新書、二〇一七年
若林覚『私の美術漫歩　広告からアートへ、民から官へ』生活の友社、二〇一八年
東京都現代美術館編『開館10周年記念　東京府美術館の時代：1926-1970』東京都歴史文化財団東京都現代美術館、二〇〇五年
『東京都美術館紀要』No.22　二〇一六年三月三一日発行
山村仁志「東京都美術館の特質と課題――様々な個人を生かすしなやかな容器《うつわ》」
水田有子「東京都美術館における「佐藤記念室」設置のねらいとその経緯」
『日本大学大学院　総合社会情報研究科紀要』No.7　二〇〇六年
増子保志「彩管報国と戦争美術展覧会―戦争と美術（3）―」

〈写真提供〉
著者　21頁、27頁、42頁、143頁、197頁、202頁、204頁
渡辺純子　44頁
共同通信社　23頁（上）、63頁（上下）、160頁
朝日新聞社　23頁（下）、65頁（上下）、93頁
時事通信社　189頁

古賀　太　1961（昭和36）年福岡県生まれ。国際交流基金、朝日新聞社で展覧会企画に携わる。2009年より日本大学芸術学部教授。専門は映画史、映像／アート・ビジネス。訳書に『魔術師メリエス』。

Ⓢ新潮新書

861

美術展《びじゅつてん》の不都合《ふつごう》な真実《しんじつ》

著　者　古賀《こが》　太《ふとし》

2020年５月20日　発行
2021年３月30日　３刷

図版製作　ブリュッケ

発行者　佐　藤　隆　信

発行所　株式会社新潮社

〒162-8711　東京都新宿区矢来町71番地
編集部(03)3266-5430　読者係(03)3266-5111
https://www.shinchosha.co.jp

印刷所　株式会社光邦

製本所　加藤製本株式会社

ISBN978-4-10-610861-7　C0271

Ⓢ新潮新書

849
心臓によい運動、悪い運動
古川哲史

筋トレは2〜3日に1回がよい？　日常生活がエクササイズになる？　糖質制限ダイエットって大丈夫？　等々、医者が教える、突然死しないための、健康の新常識60！

848
ひとの住処
1964–2020
隈　研　吾

1964年、丹下健三の国立競技場に憧れ、建築家を志す。バブル崩壊後の10年間、地方各地を巡る中で出会ったのは、工業化社会の後に来る次なる建築だった。そして2020年――。

847
マトリ
厚労省麻薬取締官
瀬戸晴海

「俺たちは、猟犬だ！」密輸組織との熾烈な攻防、「運び屋」にされた女性の裏事情、薬物依存の家族の救済、ネット密売人の猛追……元麻薬取締部部長が初めて明かす薬物犯罪と捜査の実態。

846
「反権力」は正義ですか
ラジオニュースの現場から
飯田浩司

「権力と闘う」己の姿勢に酔いしれ、経済や安全保障を印象と感情で語る。その結論ありきの報道は見限られてきていないか。人気ラジオパーソナリティによる熱く刺激的なニュース論。

845
興行師列伝
愛と裏切りの近代芸能史
笹山敬輔

松竹、吉本、大映、東宝……大衆芸能の発展に貢献した創業者たち。その波瀾万丈の人生や、血と汗と金にまみれたライバルとの争いをドラマチックに描く。やがて哀しき興行師の物語。

Ⓢ新潮新書

839
日本はすでに侵略されている
平野秀樹
北海道から南西諸島まで急速に進む国土買収。裏にいるのは今や覇権主義をあらわにする中国だ。溶解するガバナンスの実態、目先のインバウンドに浮かれるこの国の行く末を徹底検証！

838
「複業」で成功する
元榮太一郎
原則「副業解禁」が世の流れ――だが経営側／働く側の成功と失敗の分かれ目とは？　弁護士ドットコムを創業した弁護士にして起業家、国会議員の著者が説く一歩先の働き方。

837
ドル・人民元・リブラ
通貨でわかる世界経済
中條誠一
物の取引のツールだったお金（通貨）が、逆に経済全体を動かすようになってしまった現在。主役としての通貨を理解すれば、一見複雑怪奇な世界経済の構造が、スッキリわかる！

836
偽善者たちへ
百田尚樹
薄っぺらい正義を説くマスコミ、犯罪者を擁護する人権派、隣国の横暴を許す輩たち……。この国に蔓延する数多の「偽善」をぶった斬り！ベストセラー作家が放つ言論の銃弾109連射。

835
老人の美学
筒井康隆
人生百年時代にあっても、「老い」は誰にとっても最初にして最後の道行きだ。自分の居場所を見定めながら、社会の中でどう自らを律するか。リアルな知恵にあふれた最強の老年論！

新潮新書

834
騙されてませんか
人生を壊すお金の「落とし穴」42
荻原博子

「半額になります」「キャンペーン実施中」「絶対損しない」——あなたを狙うセールストークのここが大嘘だ！ 投資から保険、老後資金、節約術まで、大損する前に読むべき42篇。

833
近代建築そもそも講義
藤森照信＋大和ハウス工業総合技術研究所

最初の難題は「脱ぐか否か」だった——「和」の建築は「洋」をどう受け入れてきたか。明治宮殿、旧岩崎邸、札幌時計台、東京駅……建築探偵・藤森教授が縦横無尽に語った全68話。

832
君主号の世界史
岡本隆司

古代中国、ローマから、東洋と西洋が出会う近代に至るまで、君主号の歴史的変遷を一気に概観。いま最も注目の世界史家が、ユーラシア全域の視点で世界史の流れをわしづかみにする。

831
女系図でみる日本争乱史
大塚ひかり

応仁の乱、関ヶ原合戦、戊辰戦争……日本の命運を分けた争乱を「女系図」でみていけば、み～んな身内の相続争いだった！ この1冊で日本史がスッキリ判る。

830
「面白い」のつくりかた
佐々木健一

どうしたらウケるプレゼンや斬新な企画が思いつくのか。——「面白い」を追求してきた著者がそのノウハウ、発想を披露した全く新しいアウトプット論。

Ⓢ新潮新書

829
この国のたたみ方
佐々木信夫

都道府県は、もういらない。人口減少が不可避な時代を正面から見据え、行政組織は「市町村＋州」の単位に賢くたたみ直そう——。地方行政の第一人者が描き出す「日本の未来地図」。

828
AI救国論
大澤昇平

「AI2・0」前夜——水平思考でイノベーションを創り出せ！　日本経済「失われた30年」からの復権を視野に、注目のテクノロジストにして東大最年少准教授が導く救国への最適解。

827
英国名門校の流儀
一流の人材をどう育てるか
松原直美

これがパブリック・スクール流！　名門ハーロウ校の教師となった著者は最高の教育現場を目撃する。礼儀作法、文武両道、賞と罰——日本人生徒の肉声も収めた、リーダーの育て方。

826
秋吉敏子と渡辺貞夫
西田浩

ジャズとの出合いから世界的ミュージシャンとしての栄光まで、戦後日本ジャズ史に重なる2人の人生を本人達への長年の取材を基に描き出す。レジェンド達の証言も満載。

825
野球消滅
中島大輔

はびこる根性論、不勉強な指導者、いがみ合うプロとアマ……。このままでは、プロ野球興行すら危うくなる。現場を歩き続けるノンフィクション作家が描いた「不都合な真実」。